G→A→M
I→F→I
C→A→R

GAMIFICAR
Como a Gamificação Motiva as Pessoas a Fazerem Coisas Extraordinárias

Copyright © 2015 - DVS Editora. Todos os direitos para a língua portuguesa reservados pela editora.

GAMIFY
How Gamification Motivates People To Do Extraordinary Things

Copyright © 2014 by Gartner, Inc.
"First published by Bibliomotion, Inc. Brookline, Massachusetts, USA.
This translation is published by arrangement with Bibliomotion, Inc."

Nenhuma parte deste livro poderá ser reproduzida, armazenada em sistema de recuperação, ou transmitida por qualquer meio, seja na forma eletrônica, mecânica, fotocopiada, gravada ou qualquer outra, sem a autorização por escrito da editora.

Tradução: Sieben Gruppe
Diagramação: Konsept Design e Projetos

Dados Internacionais de Catalogação na Publicação (CIP)
(Câmara Brasileira do Livro, SP, Brasil)

Burke, Brian
  Gamificar : como a gamificação motiva as pessoas a fazerem coisas extraordinárias / Brian Burke ; tradução Sieben Gruppe. -- São Paulo : DVS Editora, 2015.

  Título original: Gamify : how gamification motivates people to do extraordinary things.
  Bibliografia
  ISBN 978-85-8289-107-0

  1. Comportamento organizacional 2. Jogos - Aspectos psicológicos 3. Motivação (Psicologia) I. Título.

15-09245   CDD-658.314

Índices para catálogo sistemático:

1. Motivação de pessoal : Administração de empresas   658.314

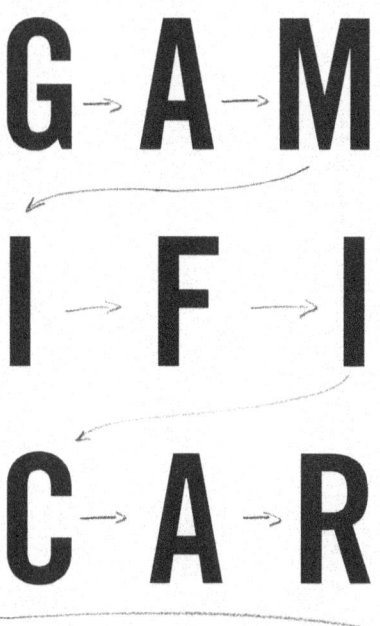

GAMIFICAR

COMO A **GAMIFICAÇÃO** **MOTIVA AS** PESSOAS A FAZEREM COISAS **EXTRAORDINÁRIAS**

BRIAN BURKE

GARTNER, Inc.

São Paulo, 2015
www.dvseditora.com.br

Para Yolanda, por motivar-me todos os dias.

SUMÁRIO

Agradecimentos	IX
Introdução	XI
Gamificação: indo além do que está na moda	XI

PARTE I
O valor da gamificação: envolvendo a multidão

1	Motivação: o estágio final da gamificação	3
2	Dê sentido aos jogadores	13
3	Transformando comportamento: um passo de cada vez	27
4	Usando a gamificação para desenvolver habilidades	49
5	Utilizando a gamificação para estimular a inovação	65

PARTE II
Projetando uma experiência gamificada para o jogador

6	Projeto centrado no jogador	79
7	Projetando uma solução gamificada	99
8	Erros comuns de projeto	117
9	Administrando em busca do sucesso	129
10	Gamificação 2020: O que esperar do futuro?	141

Notas	153
Referências Bibliográficas	160
Sobre o Autor	167

AGRADECIMENTOS

O livro *Gamificar* é o produto dos esforços de toda uma equipe de trabalho ao longo de alguns anos. Tudo começou com Nick Gall e sua concepção de liderança em sistemas emergentes e filosofia de projetos. Ambos serviram como base essencial para o desenvolvimento de muitas das ideias contidas nesta obra. Minhas pesquisas iniciais sobre o conceito de gamificação se desenvolveram com a colaboração de Mary Mesaglio, cuja *expertise* na área de inovação administrativa foi essencial, e Brian Blau, que nos brindou com valiosos *insights* sobre o mundo do desenvolvimento de jogos.

No ano de 2011, as pesquisas sobre gamificação realizadas pela Gartner conseguiram um enorme incentivo, com o apoio da Gartner Fellows ou, mais especificamente, de Tom Austin, Mark Raskino, Jackie Fenn e Dave Aron, que ofereceram o suporte inicial para o desenvolvimento do tópico de pesquisa dentro do Gartner's Maverick Research Program (Programa Gartner de Pesquisas Independentes). Em 2012, David Willis e Betsy Burton foram instrumentais em seu apoio à elaboração do relatório especial da Gartner sobre Gamificação. Este contou ainda com a contribuição de Rita Sallam, Jarod Greene, Cameron Haight, Chris Wilson, Elise Olding, Thomas Otter, Whit Andrews, Kevin Sterneckert, Steven Leigh, Don Scheibenreif, Simon Mingay e Cchet Geschickter, que expandiram a área de pesquisas.

Além das pesquisas, o livro *Gamificar* foi apoiado por um extraordinário grupo de pessoas, incluindo o responsável por patrocinar o livro na Gartner, Andrew Spender. Devo dizer que, embora já escreva sobre pesquisas há vários anos, preparar um livro é um projeto bastante diferente. Felizmente, ao longo de todo o seu desenvolvimento pude contar com as orientações de Heather Pemberton Levy, da Gartner Books, que me guiou e ajudou a lapidar o manuscrito. Desde o início, *Gamificar* foi um projeto conjunto com nossa editora, a Bibliomotion. E a ideia se beneficiou ainda da contribuição de muitas pessoas da equipe, em especial de seus fundadores, Erika Heilman e Jill Friedlander, que, durante todo o processo, mostraram-se parceiros confiáveis e apoiadores.

Este livro não teria sido possível sem a ajuda de minha equipe administrativa, que inclui Philip Allega, Anthony Bradley e Peter Sondergaard, que me ajudaram a encontrar o tempo e me desviar das distrações, de modo que eu conseguisse criar esse projeto. Muitos dos revisores iniciais incluíram vários dos analistas da Gartner; Gostaria de agradecer a Bernardo Crespo Velasco, da BBVA, a John Gehl, da cadeia de restaurantes Subway, e a Nikola Ristivojevich, da Ford Motor Company, por suas críticas criteriosas e perspicazes. Os gráficos que aparecem no livro *Gamificar* foram sensivelmente aprimorados graças aos conselhos e sugestões de Glenn Thode e Monica Virag.

Meu objetivo com o livro *Gamificar* foi alicerçá-lo na realidade, enfatizando as melhores práticas da gamificação e, ao mesmo tempo, alavancando o conhecimento de organizações bem-sucedidas. Isso se tornou possível graças à colaboração dos praticantes da gamificação nas diversas empresas que serão mencionadas em seu conteúdo, incluindo Cami Thompson, Clayton Nicholas, Cory Eisentraut, Craig Kielburger, David Cotterill, dr. Jennifer Stinson, Imran Sayeed, Jill Shnarr, Naureen Meraj, Paul Wilmore, Rod Morris, Russell Bacon, Salman Khan, Stuart Thom e Sven Gerjets.

Por fim, mas não menos importante, quero agradecer à minha família, Yolanda, Geoff e Shannon, que me apoiaram durante os longos sumiços em que me dediquei única e exclusivamente a escrever este livro, o que incluiu incontáveis noites acordado, finais de semana ocupado e até mesmo feriados perdidos. Porém, esta lista não estaria completa se não mencionasse meu cão, Gringo, que pacientemente escutou todas as minhas ideias e me fez companhia em plena madrugada!

INTRODUÇÃO
Gamificação: indo além do que está na moda

Em meu porão guardo uma caixa de tesouros que reuni ao longo de minha vida. Naquela caixa existem coisas antigas, como o meu boletim do jardim da infância, uma coleção de pedrinhas de todas as partes do mundo e um *botton* (broche) bem simples, de latão, cuja parte da frente fora substituída por uma fita com a inscrição "Norquay 51st – 50,000 feet" (Norquay 51° – 50 mil pés). Tudo isso pode não valer nada para os outros, mas, para mim significa muito, afinal, eu guardei esses itens por mais de 30 anos. Permitam-me, então, dizer como consegui um deles.

No final dos anos 1970 e início da década de 1980, passei alguns anos trabalhando como esquiador no monte Norquay, localizado no Banff National Park (Parque Nacional Banff), no Canadá. O *resort* premiava com diferentes prendedores os esquiadores que percorressem acima de determinadas distâncias em um só dia. A rota mais rápida era começar pelo teleférico (North American *lift*) no topo do Norquay, cruzar sob uma ponte de pedras e terminar a última metade do percurso no lendário Lone Pine, os dois diamantes negros. A rota de 7,6 mil metros garantia ao esquiador um *botton* (broche) de bronze; a de 9,1 mil metros rendia ao esportista um *botton* (broche) prateado; uma altura superior a 10,6 mil metros dava ao sortudo um *botton* (broche) dourado. Lembro-me de que na época em que trabalhei no local, o *resort* celebrou seu 50º aniversário e, por conta da comemoração, uma edição limitada com 50 *bottons* (broches) de platina foi disponibilizada. Eles seriam entregues a todos os esquiadores que alcançassem mais de 15,2 mil metros em um único dia. O problema é que para atingir essa marca eram necessárias 38 descidas a partir do topo, o que significava esquiar o dia todo sem parar. Os ganhadores também se tornavam membros do **clube dos 15 mil metros**.

Como muitos dos meus colegas no *resort*, ganhei os *bottons* (broches) de bronze, prata e ouro, e então fiquei de olho no número de unidades de platina que restavam. No final, quando havia somente alguns sobrando, decidi tentar a façanha. O azar foi que cerca de 10 pessoas também resolveram percorrer o trajeto no mesmo dia. E, com somente três prendedores de platina disponíveis, aquilo acabou se transformando em uma corrida interminável.

Ao longo do dia, alguns candidatos abandonaram a competição, enquanto outros foram forçados a sair por causa de contusões. Um esquiador que estava bem na minha frente derrapou para um dos cantos no meio do trajeto e, percebendo que não conseguiria passar pelo túnel sob a ponte de pedras, desviou e foi na direção das árvores. Eu não parei.

No final do dia eu consegui 38 descidas do topo, mas infelizmente fui apenas o quarto a terminar o percurso. Como 51º esquiador a conseguir a façanha, **não recebi** o tão sonhado *botton* (broche) de platina. Foi então que meus amigos decidiram fazer um para mim. Eles pegaram um velho prendedor, arrancaram a parte da frente e colaram ali uma fita com a inscrição "**50 mil pés**". Foi assim que o tal *botton* (broche) foi parar na minha caixa de tesouros. Para mim seu valor é inestimável. Tenho certeza de que você também guarda seus próprios tesouros, sejam eles prendedores, laços, troféus ou qualquer outro tipo de premiação. Não há nada de novo em motivar as pessoas com esse tipo de insígnia. Elas sempre existiram. Escoteiros e bandeirantes usam esses distintivos há mais de cem anos. Organizações militares, por sua vez, também concedem essas medalhas há séculos.

A DIGITALIZAÇÃO ALTERA OS PARÂMETROS

Distribuir *bottons* (broches) especiais em competições não é uma ideia nova, porém, o modo como isso é feito tem mudado. Quando disputei o prendedor de platina no monte Norquay, os operadores do teleférico tinham uma prancheta e faziam uma marcação a cada nova subida. Os demais concorrentes estavam todos ao meu redor (a maioria na frente), e quando meus amigos me incentivavam eu podia vê-los e ouvi-los. Foi ótimo, mas a experiência se limitou ao mundo físico. Somente uns poucos esquiadores poderiam encarar o desafio por dia. O fato é que os demais esportistas e os meus amigos estavam ali, perto de mim, e tudo aconteceu em tempo real.

Se retornarmos aos dias de hoje, veremos distintivos virtuais surgindo em todos os lugares. Eles confundem os mundos físico e cibernético e são suficientes para envolver multidões de qualquer tamanho. O grupo Vail Resorts oferece aos clientes uma solução gamificada denominada EpicMix, que rastreia automaticamente mais de 200 mil esquiadores em dez *resorts*[1] e oferece mais de 600 *bottons* (broches) virtuais como premiação. Com o EpicMix, os usuários podem concorrer com seus amigos ou até mesmo com a medalha de ouro dos Jogos Olímpicos, Lindsey Vonn – sem contar com sua presença física no local. A partir de suas conexões no Facebook, os usuários do EpicMix conseguem compartilhar seus *bottons* (broches), suas medalhas e fotos com amigos que estão bem longe. Soluções gamificadas como essa alavancam a tecnologia e sobrepujam as barreiras de tamanho, tempo, distância, conexão e custo.

Todavia, a gamificação vai muito além de *bottons* (broches) virtuais para esquiadores. Usando mecânicas de jogos – como emblemas, pontos, níveis e placares – ela engaja e motiva as pessoas em todo tipo de atividade. **O que há de novo na gamificação? Quem está fazendo da maneira correta? Como sua organização pode ser bem-sucedida com a gamificação?** Neste livro essas perguntas serão respondidas. De fato, iremos bem fundo para explorar o poder motivacional da gamificação.

UMA JORNADA IMPROVÁVEL

Não sou um *gamer* (jogador) nem um especialista em *marketing*, tampouco um cientista comportamental ou engenheiro de jogos. Sou um analista na área de tecnologia de informação (TI) na Gartner, Inc. Com mais de 1.400 analistas e consultores, a Gartner oferece *insights* no campo tecnológico para líderes empresariais e também na área de TI em mais de 1.300 organizações em 85 países. O que os analistas fazem é identificar predisposições, classificar mercados e avaliar o impacto de tecnologias e tendências. Nós o fazemos encontrando os mais novos usuários, analisando os elementos de sucesso, estabelecendo padrões de repetição e projetando o futuro. O trabalho gira em torno de desconsiderar os exageros e entender o que está de fato acontecendo. Ao longo dos últimos 15 anos, tenho avaliado as tendências na arquitetura empresarial. E, nesses últimos oito anos que passaram, acrescentei o item **gamificação** à minha análise.

Com frequência as pessoas me perguntam como eu cheguei à gamificação – parece um grande salto. Todavia, não é bem assim. Minhas pesquisas se concentraram no uso da estrutura dos jogos para engajar pessoas no processo de inovação. Algumas empresas estão sempre inovando, e uma das características que compartilham é o fato de a inovação ser amplamente descentralizada, como vários participantes sendo encorajados a colaborar em equipes, competindo umas com as outras no sentido de inovar dentro da estrutura de objetivos e regras da empresa – assim como ocorre nos jogos. Eu tropecei por acaso na gamificação enquanto pesquisava sobre inovação.

Conforme comecei a seguir uma tendência, logo se tornou claro que a gamificação tem sido aplicada para envolver pessoas em algo que vai muito além da simples inovação. Ela também pode ser usada para desenvolver habilidades, alterar comportamentos e aprimorar a vida das pessoas. Se isso soa como uma promessa vazia, continue lendo este livro. Durante os últimos anos já conversei com pessoas em centenas de organizações sobre o assunto. O que descobri é que o sucesso da gamificação é, de fato, um instrumento motivacional para que todos os jogadores atinjam seus objetivos.

O INÍCIO DA GAMIFICAÇÃO

A gamificação não é apenas a aplicação de tecnologia a velhos modelos de engajamento, como, por exemplo, no caso da premiação de esquiadores com insígnias diferenciadas. A gamificação cria modelos de envolvimento completamente novos. Seu alvo são as novas comunidades de pessoas e o objetivo é motivá-las para que atinjam metas que elas próprias desconhecem.

Alguma vez você já "se registrou" em algum lugar? Se esse for caso, é provável que você esteja familiarizado com o Foursquare, um exemplo inicial e inspirador de gamificação. Lançado em 2009 durante o SXSW, um conjunto de festivais que reúne cinema, música e tecnologia, na cidade de Austin, no Estado do Texas, nos Estados Unidos da América (EUA), o Foursquare se destaca dos demais serviços de localização ao oferecer pontos pelo comparecimento do usuário nos locais indicados, como restaurantes, teatros e aeroportos. Um tipo de placar disponibiliza um elemento de competição ao mostrar aos usuários o número de pontos e sua classificação em comparação com o dos amigos. **Pontos para que, você poderia perguntar?** Bem, que tal ganhar o distintivo "Baladeiro" por comparecer a dois bares diferentes durante quatro noites seguidas? Ou quem sabe o distintivo "Rato de Academia", por frequentar uma academia de ginástica durante dez dias ao longo do mês? Distintivos especiais, como de "Prefeito" são oferecidos a indivíduos que frequentam um determinado local mais do que qualquer outra pessoa. Antes do Foursquare, quem poderia imaginar que as pessoas apreciariam a ideia de tornar-se **"prefeitas"** do seu ponto de encontro favorito? Isso não se tornaria realidade até que a Foursquare colocasse a ideia em prática.

Os primeiros usuários do Foursquare o descreveram como viciante. Desde seu lançamento em 2009, sua base de usuários cresceu muito, alcançando 40 milhões de indivíduos em 2013.[2] A Foursquare não apenas decolou, mas a tendência da gamificação disparou como um foguete nos últimos anos. Centenas de soluções gamificadas têm surgido. Os grandes defensores não param de elogiar essas ferramentas; consultores já estão se preparando para oferecer serviços nessa área; provedores de tecnologia estão lutando para acrescentá-las a suas ofertas; e a imprensa não para de falar no assunto. Entretanto, com todo esse burburinho há uma tendência ao exagero. E, pelo que vemos nos recentes empreendimentos tecnológicos, com o exagero chega-se inevitavelmente ao fracasso, quando empresas correm para implementar uma solução nova e promissora sem compreender totalmente os critérios para o sucesso. É hora, portanto, de injetar um pouco de realidade nesse diálogo.

A GAMIFICAÇÃO EXPLICADA

Se você está um pouco inseguro em usar esse termo tão peculiar – **gamificação** –, que tal revermos um pouco de sua história. De fato ele somente alcançou massa crítica necessária para aparecer no Google Trends na segunda metade do ano de 2010,[3] porém, a palavra já existia há mais tempo. Foi cunhada em 2002 pelo consultor britânico Nick Pelling, criada para ser **"deliberadamente feia"** e descrever "a aplicação de interfaces cuja aparência era similar a jogos para tornar transações eletrônicas mais rápidas e confortáveis para o cliente."[4] Na visão de Pelling, a gamificação tinha tudo a ver com *hardware*, e ele criou a palavra para descrever os serviços de uma consultoria *start-up* chamada Conundra Ltd. Todavia, o termo "gamificação" acabou sobrevivendo e indo mais longe que a própria consultoria e, desde então, passando a descrever algo completamente distinto.

Embora muita gente afirme que Pelling foi bem-sucedido em criar uma palavra muito esquisita, estranhamente, ela pegou. O dicionário *Oxford* chegou inclusive a selecioná-la como finalista para ser a palavra do ano em 2011.[5] Muitos estudiosos gostariam de mudar a palavra, e alguns até estão tentando. **Boa sorte!** Pela minha experiência, uma vez que um termo se torna parte do vernáculo, torna-se impossível substituí-lo, a despeito de quão estranha ou feia possa parecer a palavra.

Apesar de não existir uma definição específica amplamente aceita do termo "gamificação", a maioria das definições compartilha certas características. A Gartner define gamificação como: **o uso de *design* de experiências digitais e mecânicas de jogos para motivar e engajar as pessoas para que elas atinjam seus objetivos.** Que tal investigarmos mais a fundo essa definição?

- **Mecânica de jogos** descreve os elementos-chave que são comuns em muitos jogos, tais como pontos, distintivos ou placares.
- **Design de experiência digital** apresenta a jornada que os jogadores terão de percorrer utilizando-se de elementos como: a sequência dos passos do jogo, o reconhecimento do ambiente e a decodificação do roteiro.

- Gamificação é um método para **engajar indivíduos digitalmente** em vez de pessoalmente, o que significa que os jogadores irão interagir com computadores, *smartphones*, monitores portáteis e outros dispositivos digitais.
- O objetivo da gamificação é o de **motivar as pessoas** para que elas alterem seus comportamentos, desenvolvam habilidades ou estimulem a inovação.
- A gamificação se concentra em possibilitar aos jogadores **atingir seus objetivos** – e, como consequência, a organização também atingirá os dela.

INDO ALÉM DO EXAGERO

A gamificação possui enorme **potencial**, entretanto, nesse momento a maioria das empresas ainda não o compreendeu. A jornada para o sucesso da gamificação é repleta de obstáculos e armadilhas, e muitas organizações não compreendem quão crítica é a **motivação** dos jogadores para o sucesso dos empreendimentos. Os primeiros grandes sucessos amplamente divulgados pela mídia levaram algumas organizações a acreditar que a gamificação era uma espécie de **elixir mágico** para doutrinar massas e convencer pessoas a fazerem o que as empresas desejavam. Todavia, essas companhias estão confundindo pessoas com fantoches, portanto, seus esforços – claramente repletos de cinismo – estão fadados ao fracasso. À medida que um número cada vez maior de soluções gamificadas mal projetadas aparecer no mercado, os jogadores passarão a sofrer do que denomino **"fadiga de placar"** e a evitar essas soluções mal desenvolvidas.

A verdade é que a gamificação, assim como todas as tendências emergentes, está sofrendo com as dores do crescimento. Em 2012, a Gartner previu que por volta de 2014, 80% das aplicações gamificadas não seriam capazes de alcançar os objetivos esperados pelas empresas usuárias, principalmente por conta de projetos de *design* inadequados. Isso aponta para o número de usuários avançados que estão utilizando essa facilidade de maneira incorreta. Embora isso possa parecer uma previsão aterradora para a gamificação, trata-se apenas de um estágio pelo qual a maioria das tendências ou tecnologias emergentes tem de passar. Desde 1995, a Gartner tem usado a ferramenta Hype Cycle, ou ciclo das expectativas, para rastrear tendências e tecnologias enquanto elas amadurecem, e o caminho que elas adotam é bastante comum e previsível.[6]

De fato, a gamificação é apenas uma entre mais de 1.900 tecnologias e tendências em quase 100 áreas diferentes que a Gartner rastreia no Hype Cycle. No Hype Cycle para Tecnologias Emergentes de 2013, a Gartner colocou a gamificação no **"topo das expectativas exageradas"**. Contudo, como previmos em 2011, agora ela está se dirigindo para o "vale das Desilusões". Ao longo dos últimos três anos, a gamificação tem sido bastante divulgada na mídia, e as expectativas realmente excedem seu potencial. Pesquisas recentes com clientes que não compreenderam muito bem o potencial da gamificação incluim os seguintes exemplos:

Pergunta - Precisamos tornar nosso processo de mala direta mais interessante e dinâmico. Pelo método atual, os gerentes atribuem tarefas a cada membro da equipe usando o padrão normal de fluxo de trabalho pelo computador. É muito entediante e os gerentes são muito lentos em distribuir as listas. Queremos acelerar as coisas, então pensamos em mudar a interface de modo que o gerente tivesse uma arma e cada membro da equipe fosse um alvo. O gerente poderia "atirar" em cada um dos membros e atingi-los com as listas. O que você acha?

Resposta - Não, a gamificação não é para fazer com que atividades normais pareçam jogos.

Pergunta - Essa tendência duradoura de envio de *e-mails* está acabando com os serviços postais. Gostaríamos de usar a gamificação para tornar o envio de correspondências físicas mais divertido e estimular as pessoas a lerem suas correspondências em papel, não no computador. Como podemos utilizar a gamificação para convencer nossos clientes a voltarem a utilizar correspondência física?

Resposta - Se o seu produto não possui vantagens intrínsecas em relação às alternativas, não vejo como a gamificação poderá ajudá-lo.

Pergunta - Queremos utilizar a gamificação para convencer nossa equipe administrativa a ir além de suas atividades regulares e preencher os relatórios de despesas dos agentes comerciais. Atualmente, isso não faz parte das atribuições dessas pessoas, mas queremos transferir essa atividade para esse departamento. Estávamos imaginando se poderíamos usar a gamificação para conseguir que elas o fizessem.
Resposta: Não, a gamificação não ajudará a empresa a fazer com que o departamento administrativo faça um trabalho burocrático que não é de sua alçada.

A todos esses clientes foi vendida uma imagem equivocada sobre aquilo que a gamificação seria capaz de fazer, o que não surpreende, considerando todo o exagero em torno desse tipo de ferramenta. Muito do que é escrito sobre gamificação atualmente reforça a percepção de que o sistema é capaz de tornar qualquer **tarefa divertida**. Todavia, há limites para aquilo que a gamificação é capaz de fazer, portanto, essa tendência requer uma correção de curso.

Nesse momento, a gamificação está em rota de colisão com a realidade. Se continuarmos a traçar esse caminho, conforme o número de fracassos aumentar, a gamificação poderá sofrer um impacto considerável. Precisamos voltar a nos concentrar no reino do possível. No modo como a gamificação pode ser usada nas organizações para motivar as pessoas a atingirem objetivos compartilhados. Minha expectativa é de que o livro *Gamificar* possa mudar essa trajetória atual... levemente.

ALCANÇANDO O SUCESSO COM A GAMIFICAÇÃO

Este livro explora a gamificação como uma maneira de motivar pessoas a atingirem seus objetivos. Ele não discorre sobre programas de recompensa nem a respeito de *videogames*, embora expliquemos como a gamificação difere desses tópicos. Em vez disso, esta obra serve como um guia para que empresários e pessoas de negócios saibam como utilizar esse recurso para oferecer mais poder a seus consumidores e funcionários e, ainda para que comunidades consigam atingir suas metas. É isso mesmo, gamificação gira em torno de motivar pessoas a alcançarem os objetivos delas, não os da organização.

Tal afirmação pode até parecer contraintuitiva para muitos empresários. Estamos imersos em uma cultura que vê os negócios como entidades pragmáticas nas quais os verdadeiros mestres são especialistas em separar as pessoas do dinheiro delas. É claro que todas as organizações precisam ser lucrativas, mas, como revelaremos no livro *Gamificar*, os objetivos pessoais dos clientes, funcionários de uma empresa, e das comunidades, com frequência estão alinhados com as metas das empresas. Como dois lados de uma mesma moeda, metas compartilhadas podem apresentar feições distintas, mas são apenas visões diferentes da mesma coisa. Mais adiante no livro, examinaremos como as empresas podem estabelecer objetivos que os participantes adotam como seus, e de que modo essas metas podem se tornar compartilhadas. Se uma organização for capaz de identificar os objetivos que divide com seu público, ou oferecer metas que sejam significativas para essas pessoas, usando a gamificação para motivar os jogadores a alcançar os objetivos, então ela atingirá os resultados que busca.

OS PRIMEIROS A ADOTAR

Na maioria das empresas, a gamificação teve início no departamento de *marketing*, porém, a partir daí, se espalhou por vários outros setores. O segmento de soluções para funcionários é o que mais tem crescido no mercado da gamificação, e essas respostas voltadas para os clientes internos das companhias estão prontas para ocupar o espaço daquelas direcionadas ao solucionamento de problemas dos consumidores e das comunidades, em um futuro próximo. Líderes empresariais nas áreas de *marketing*, fidelização de clientes, recursos humanos, vendas, desenvolvimento de produtos, atendimento ao cliente, planejamento estratégico e gestão de inovação, estão todos usando a gamificação para engajar pessoas e atingir os objetivos da empresa.

Nas empresas de TI, os diretores executivos de informação, os planejadores estratégicos de TI e os arquitetos de sistemas precisam compreender a gamificação por três razões básicas. Em primeiro lugar, eles têm de entender como usar a gamificação dentro do setor em que a empresa opera – informática –, em especial nas áreas de assistência ao cliente, gestão de conhecimento e de iniciativas para a colaboração social. Em seguida, uma vez que as iniciativas de gamificação inevitavelmente demandam que aplicativos sejam desenvolvidos e sustentados, o departamento de TI estará no comando ou, pelo menos, bastante envolvido nos projetos a serem implantados em toda a organização e que tenham como alvo clientes, funcionários e comunidades de interesse. Por fim, os gerentes de TI precisam estar cientes da gamificação, uma vez que grandes vendedores estão começando a construir mecânicas e análises de jogos em várias plataformas diferentes de *software* e em vários aplicativos. Isso significa que a gamificação logo chegará à sua empresa – quer você queira ou não.

Organizações que estão adotando a gamificação de maneira mais agressiva já possuem várias soluções gamificadas que apoiam diferentes áreas da empresa, estão mais voltadas para os públicos-alvo e atingem uma ampla gama de objetivos comerciais. Essas companhias estão começando a desenvolver centros de excelência em gamificação para poderem usar as habilidades especiais necessárias a esses projetos. Tais empresas também estão considerando como integrar soluções gamificadas que alcancem o mesmo público-alvo. Por exemplo, os empregados de uma companhia podem estar usando uma solução gamificada para administrar a **gestão de relação com o cliente** (*customer relationship management*) e outra diferente para treinamento corporativo. O fato é que existem vantagens em conseguir uma visão integrada de cada funcionário e visualizar o modo como eles interagem em diferentes soluções gamificadas. Isso se torna ainda mais crucial quando os clientes estão usando soluções gamificadas em múltiplos pontos de contato. Cada vez mais os arquitetos de sistemas estão sendo chamados a participar dessas decisões, uma vez que elas afetam inúmeras áreas do negócio.

Levando-se em consideração essa ampla variedade de aplicações para a gamificação, pessoas de toda a empresa que são desafiadas a se envolverem e a motivarem outros colegas deveriam compreender as oportunidades no uso dessa ferramenta. Na verdade, em conversas com clientes, descobrimos que um dos primeiros desafios enfrentados pelos líderes do **processo de gamificação** é determinar quais oportunidades serão analisadas prioritariamente, dentre as inúmeras disponíveis.

COMO ESTE LIVRO ESTÁ ORGANIZADO

O livro *Gamificar* o levará além dos exageros e explorará o real potencial no uso dessa ferramenta. Quando aplicada de maneira correta e efetiva, ela apresenta inúmeras oportunidades e pode estimular os resultados da empresa. Depois de ler os capítulos seguintes, você compreenderá a gamificação, como ela pode ser aplicada atualmente e como provavelmente irá se desenvolver no futuro. Você também entenderá a ampla gama de aplicações da gamificação: atingir diferentes objetivos com grupos distintos de pessoas e nos setores mais variados, com vários exemplos reais. Você não encontrará muito exagero aqui; este é um **guia prático** que o levará além das decepções e diretamente a informações preciosas.

Este livro é dividido em duas partes. Na Parte I, introduzimos os conceitos da gamificação, descrevemos como a ferramenta pode ser usada e discutimos em que momentos ela não é adequada. Veremos exemplos de como a gamificação está sendo utilizada no sentido de alterar comportamentos, desenvolver habilidades e impulsionar inovações para clientes, funcionários e também para as comunidades de interesse da empresa. Uma vez que tenha compreendido o **porquê** e o **como**, terá chegado à fase de **execução**.

Na Parte II, mostraremos a você, passo a passo, como projetar e lançar uma solução gamificada, o que chamamos de processo de *design* da experiência do jogador. *Design*, neste caso, significa um processo específico para compreender seus jogadores e de que maneira motivá-los em uma experiência gamificada. Essa experiência de *design* pode ser dividida em vários passos que estruturam as tarefas de maneira lógica, concentram o projeto no alcance dos objetivos do jogador e reduzem o tempo e o risco intrínsecos ao *design* de uma solução gamificada. (ver figura I-1)

Figura I-1: O Processo de *design* da experiência do jogador

O livro *Gamificar* se destina a todas as pessoas que estejam interessadas em usar essa ferramenta em suas empresas. Embora a gamificação ofereça enormes oportunidades, ainda é muito cedo e existem pouquíssimas adaptações positivas que comprovem sucessos que possam ser facilmente replicados. Este livro oferece o guia de que os interessados no assunto precisam para seguir adiante com uma iniciativa de gamificação, e tem como base as lições aprendidas (tanto as boas quanto as ruins) e as situações vivenciadas por vários indivíduos que a adotaram. Todavia, implantar uma nova solução gamificada ainda representa um desafio. Ao tentar implantar sua primeira solução gamificada é provável que você tenha de arregaçar as mangas e trabalhar duro. **Então, bem-vindos à vanguarda!**

PARTE I

O VALOR DA GAMIFICAÇÃO: ENVOLVENDO A MULTIDÃO

Capítulo 1
Motivação: o estágio final da gamificação

Todo ano o Hospital for Sick Children (Hospital para Pacientes Infantis) – mais conhecido como SickKids –, em Toronto, no Canadá, trata de milhares de crianças que lutam para superar o câncer. Sendo o principal centro de pesquisas especializado em crianças, a entidade precisa equilibrar sua eficiência em termos de tratamento de modo que consiga aplicar as melhores terapias, enquanto minimiza a dor dos pequenos pacientes afetados pela doença. De fato, informações precisas beneficiariam crianças doentes do mundo todo.

Porém, para que isso ocorra, o hospital tem de receber relatórios diários das crianças sobre os níveis de dor que estão enfrentando. O problema é que as crianças estão sofrendo. O tratamento é doloroso e nem sempre é possível para elas preencherem os relatórios, em especial nos piores dias. De posse de dados inconsistentes, torna-se impossível para os médicos determinarem qual o melhor tratamento em cada situação. O que o hospital realmente precisa é de uma maneira que inspire as crianças a fornecerem informações cruciais em relação ao nível de dor enfrentado diariamente, e de modo constante.

Em relatórios anteriores, os pacientes já haviam se mostrado incongruentes no preenchimento dos dados, então, pesquisadores tentaram uma abordagem alternativa. Eles visualizaram o problema **pelo ponto de vista das crianças** e decidiram adotar uma estratégia que envolvesse as crianças em um nível distinto. Trabalhando juntamente com a Cundari, uma agência de comunicação sediada em Toronto, uma equipe desenvolveu o *Esquadrão da Dor*, um aplicativo de *iPhone* projetado para coletar informações diárias sobre os níveis de dor enfrentados diariamente pelas crianças. O aplicativo lista todos os pacientes como membros de um esquadrão especial da polícia cuja missão é capturar e destruir a dor. O aplicativo faz com que as crianças se lembrem de reportar os níveis de dor duas vezes ao dia. Contudo, apenas mover a informação do papel para um *iPhone* não seria o suficiente. O aplicativo teria de inspirar as crianças. Então o *Esquadrão da Dor* teria de fazer mais que simplesmente desenvolver aquele mecanismo; eles teriam de desenhar uma experiência.

ENGAJANDO OS JOGADORES EM UM NÍVEL EMOCIONAL

O desafio em conseguir que crianças – ou a maioria das pessoas, neste caso – realizem uma tarefa diária comum ou entediante é engajá-las em um nível mais profundo e significativo. As pessoas sentem inspiração de várias maneiras diferentes. Um modo de motivá-las é apresentar a elas desafios práticos, encorajá-las à medida que atingem novos níveis e mantê-las emocionalmente envolvidas para atingir o melhor resultado. E é isso que a gamificação proporciona. Em sua essência, a gamificação gira em torno de envolver as pessoas em um nível emocional e motivá-las a alcançar metas estabelecidas.

Esse engajamento toma bastante tempo. Especialistas em *marketing* se concentram no envolvimento entre clientes e produtos; empregadores focam no engajamento dos funcionários; educadores buscam o comprometimento dos alunos – e a lista prossegue. Todavia, esse foco no envolvimento com frequência está associado à quantidade de interação, não à qualidade – e essas são duas coisas completamente diferentes. Nem todo engajamento é igual.

Por exemplo, dúzias de trabalhos de pesquisa sobre envolvimento entre funcionários demonstram a correlação entre altos níveis de engajamento e elevada produtividade, lucratividade, retenção e qualidade, entre outros benefícios.[1] Contudo, a maioria dos trabalhadores norte-americanos não está engajada e, o que é pior, eles estão completamente desengajados.[2] Pesquisas recentes indicam que o comprometimento não é unidimensional, e é importante distinguir entre envolvimento emocional e transacional. De acordo com o Chartered Institute of Personnel and Development – CIPD (Instituto de Desenvolvimento Pessoal), o engajamento transacional é "formatado pela preocupação dos empregados em receber seu salário e atender às mínimas expectativas do empregador e de seus colegas". Já o engajamento emocional é "impulsionado pelo desejo da parte dos empregados de fazer mais pela organização do que o esperado e, em troca, receber mais na forma de um contrato psicológico mais profundo e compensador."[3]

A distinção entre os **envolvimentos emocional** e **transacional** pode ser percebida muito além do relacionamento entre funcionário e empresa. Cada interação apresenta um diferente equilíbrio – algumas pesam mais no aspecto emocional e outras no transacional. Se você estiver tentando perder peso e for a uma academia para se exercitar, pense no modo como você se envolve nas atividades. Parte do envolvimento pode ser transacional – você precisa passar 20 min na esteira. Porém, quando sobe na balança e percebe que perdeu 2 kg ocorre um envolvimento emocional. Você consegue observar progresso em relação ao seu objetivo e sabe que precisa focar nele, não na esteira. Claramente, essas dimensões de engajamento não são mutuamente excludentes, mas combinadas. O problema é que, de modo geral, as organizações contam primariamente com estratégias de comprometimento transacional em suas interações. Precisamos, portanto, alterar nosso foco para o emocional se quisermos de fato motivar as pessoas.

NEM TODAS AS RECOMPENSAS SÃO IGUAIS

Quando o hospital SickKids desenvolveu o aplicativo *Esquadrão da Dor*, ele teve de estabelecer os tipos de recompensas que seriam dadas às crianças. Enquanto muitos pais e educadores estão familiarizados com a técnica de recompensar as crianças que fazem um bom trabalho com figurinhas, doces ou mesada, todos sabem muito bem quais são as limitações desse tipo de recompensa quando o assunto é mudança comportamental. De acordo com a dra. Jennifer Stinson, que dirigiu o estudo no SickKids: "De maneira típica, os estudos similares realizados até então incentivavam os pacientes a completarem seus relatórios diários oferecendo pagamento. Neste estudo, queríamos deixar de lado essa prática de pagar as crianças e, ao trabalhar com a Cundari, decidimos usar a ferramenta de gamificação para motivá-las."[4]

O aplicativo *Esquadrão da Dor* criou uma experiência para as crianças na qual elas todas encarnam o papel de policiais em uma força especial. O aplicativo inclui uma estrutura progressiva. Assim, quando o paciente completa o relatório três dias seguidos, ele passa de cabo a sargento e assim por diante até alcançar uma posição de chefia. Como ultrapassar níveis em um *videogame*, o movimento rumo a categorias mais elevadas é visível para as crianças. No quartel general do *Esquadrão da Dor*, as crianças podem ver as divisas (condecorações) que ganharam e já ficam sabendo quando terão de preencher seu próximo relatório. Para tornar a experiência ainda mais inspiradora a equipe recrutou alguns dos heróis que aparecem nos seriados policiais da TV canadense para ajudá-los. Os elencos das séries *Flashpoint* e *Rookie Blue* colaboraram criando uma série de vídeos para encorajar as crianças a completarem seus relatórios. Eles são veiculados durante as missões.

De acordo com Stuart Thom, desenvolvedor/designer interativo da Cundari: "Os atores parecem estar realmente falando com você porque fazem as saudações conforme a sua classificação."[5] O aplicativo deu às crianças uma sensação de controle sobre a administração da própria dor. De acordo com a mãe de um desses pacientes mirins: "Essa ferramenta faz com que a criança se sinta parte do processo."[6] Em vez de pagar as crianças para que elas forneçam as informações de que os pesquisadores precisam, o *Esquadrão da Dor* envolveu os participantes em uma missão inspiradora. E mais importante, eles estão contribuindo para algo maior que eles próprios.

GAMIFICAÇÃO TEM TUDO A VER COM MOTIVAÇÃO

O que a equipe do SickKids aprendeu foi que recompensas extrínsecas e intrínsecas promovem resultados totalmente diferentes. Em seu livro, *Motivação 3.0: Os Novos Fatores Motivacionais para a Realização Pes-

soal e Profissional, o autor Daniel Pink, examinou a ciência da motivação e como recompensas extrínsecas e intrínsecas afetam o comportamento humano. No texto, ele cita inúmeros estudos que demonstram que as recompensas extrínsecas são insuficientes para sustentar o envolvimento e, às vezes, exercem o efeito contrário. Elas podem "promover um impulso de curta duração – do mesmo modo como um pouco de cafeína é capaz de mantê-lo acordado por algumas horas. Porém, o efeito logo desaparece e, pior, pode reduzir a motivação do indivíduo no longo prazo."[7] Pink conclui dizendo que os motivadores intrínsecos apresentam três elementos essenciais: "1º) **Autonomia** – o desejo de comandar nossa própria vida; 2º) **Domínio** – a necessidade de progredir e se tornar melhor em algo que importa; e 3º) **Propósito** – o desejo de fazer o que fazemos por causa de algo maior que nós mesmos."

A gamificação utiliza primariamente recompensas intrínsecas. Como veremos mais adiante, a distinção entre ambos os tipos é uma das maneiras pelas quais podemos diferenciar a gamificação de outros programas de recompensa. Recompensas internas sustentam o envolvimento porque atuam em um nível emocional, enquanto as externas, embora também possam ser usadas na motivação, ocorrem em um nível transacional.

A série de propagandas da MasterCard. **"Não tem preço"**, conseguiu capturar a diferença entre experiências emocionais e transacionais de maneira sucinta com o *slogan*: "Tem coisas que o dinheiro não compra. Para todas as outras existe o MasterCard."[8] O envolvimento pode ser comprado, pelo menos por um curto espaço de tempo, com gratificações extrínsecas. Porém, para fazer com que o engajamento seja emocional é preciso se concentrar na recompensa intrínseca.

Examinemos agora os **três elementos da motivação** (autonomia, domínio e propósito) pelas lentes da gamificação.

Autonomia – É o desejo de **comandar** nossas próprias vidas. Em soluções gamificadas eficientes os jogadores optam por participar e, uma vez que isso ocorra eles fazem escolhas sobre como irão proceder diante dos desafios para atingir os objetivos. Os competidores têm a oportunidade de descobrir e aprender usando diferentes caminhos para chegar à solução. Em algumas delas não há nenhuma rota. Os jogadores recebem objetivos, ferramentas, regras e um espaço para "jogar" sem qualquer direcionamento sobre os próximos passos que deverão ser dados.

Domínio – É a necessidade de fazer progresso e se tornar melhor em alguma coisa é que importa. Todos nós temos uma profunda necessidade de **aprimoramento** em algum aspecto de nossas vidas. Entretanto, frequentemente nos falta a motivação para dar o primeiro passo. A gamificação oferece o *feedback* positivo e fácil adesão capaz de motivar as pessoas a buscarem melhor desempenho em um campo específico. Existem vários sinais ao longo do caminho para indicar o progresso, mas não existe um ponto de chegada. Em praticamente todas as nossas tarefas diárias – seja correndo, pintando, aprendendo uma nova língua – sempre haverá um nível seguinte. A gamificação gira em torno de se tornar cada vez melhor em alguma coisa.

Propósito – É o desejo de **agir a serviço de algo maior que si mesmo**. Por definição, soluções gamificadas se distinguem dos jogos tradicionais pelo propósito estabelecido. A gamificação se concentra em um ou mais de três objetivos: alterar o comportamento, desenvolver habilidades e impulsionar a inovação. A gamificação deve começar e terminar com um propósito que esteja centrado no alcance de objetivos significativos. Como vimos no caso do aplicativo *Esquadrão da Dor*, as crianças exercem papel crucial no esforço no sentido de reduzir a dor que sentiam como pacientes com câncer. Trata-se, portanto, de um objetivo bem maior que elas mesmas.

A Cundari percebeu quão importante era criar um ambiente de recompensas intrínsecas para motivar as crianças a completarem seus relatórios. Como disse Cory Eisentraut, diretora criativa do grupo:

> *"Esse aplicativo acabou se tornando bastante fortalecedor para as crianças. Na época em que começamos a desenvolvê-lo, não percebíamos o quanto as crianças não exercem o mínimo controle sobre suas vidas. Nada depende delas. Elas são constantemente direcionadas e avisadas sobre consultas, cirurgias que terão de enfrentar, o tempo que permanecerão no hospital. Nada disso é decidido por elas. E tanta coisa*

é retirada dessas crianças. Elas são afastadas da escola e precisam dizer adeus a seus amigos por longos períodos.
Esse aplicativo se tornou uma fonte de controle para elas – um instrumento que lhes garantia algum poder sobre a doença que carregavam. A questão ali não era apenas ser divertido, mas permitir que as crianças fizessem parte do próprio tratamento e, em última análise, da própria cura. O fato é que as informações que elas estavam transmitindo aos médicos não iriam ajudar somente a elas, mas também a futuros pacientes. Não tínhamos certeza de que as crianças compreenderiam isso, mas elas entenderam muito bem."

NÃO CONFUNDA OBJETIVOS COMERCIAIS COM AQUELES DOS JOGADORES

Com frequência falhamos em atingir nossos objetivos. Não porque eles não sejam inspiradores, mas pelo fato de o caminho para chegar até eles ser árduo demais, longo demais ou apenas por não sabermos por onde começar. Portanto, o objetivo não é o problema e sim a jornada pra alcançá-lo. Delinear essa trajetória é uma das maneiras pelas quais a gamificação poderá ajudá-lo. Ao dividir seu objetivo em uma série de passos administráveis e encorajar as pessoas ao longo do caminho, soluções gamificadas poderão ajudá-las a atingir sua meta final.

Um dos **problemas-chave** em muitas soluções gamificadas é o fato de elas serem focadas em conseguir que as pessoas atinjam os objetivos da organização, não dos "jogadores". Soluções gamificadas precisam colocar as motivações e os objetivos desses jogadores em primeiro lugar, transformando-os no verdadeiro ponto de chegada. Essa abordagem em que o *design* está centrado no jogador não é intuitiva, mas todas as decisões relativas a esse projeto precisam estar focadas em motivar os participantes e capacitá-los para que consigam atingir suas metas com sucesso. Todavia, em primeiro lugar é fundamental que os *designers* compreendam as necessidades e ambições dos próprios jogadores. A solução deve construir uma série de desafios que engajem os jogadores em um nível emocional e os motive a alcançar metas que sejam significativas para si próprios.

O *Esquadrão da Dor* chegou a essa sinergia e tem sido um enorme sucesso. Segundo a dra. Stinson:

"Em um estudo anterior envolvendo crianças com artrite, tivemos uma adesão de 76% ao longo de um período de duas a três semanas. O envolvimento definitivamente caiu a partir da segunda e terceira semanas, acredito eu, pela falta de motivação. Esse estudo usava uma agenda eletrônica, mas não apresentava a motivação do Esquadrão da Dor. Então, usando o aplicativo Esquadrão da Dor, realizamos um estudo de possibilidades com 22 crianças, no qual fizemos com que elas o utilizassem duas vezes ao dia ao longo de um período de duas semanas. A adesão foi de quase 90% e não oscilou durante todo o tempo, nem entre os meninos nem entre as meninas. Acredito que tenha sido por causa da gamificação. Todos queriam subir na sua classificação antes do final do prazo de duas semanas."

É claro que os objetivos da empresa também devem ser atingidos. Seria irrealista esperar que qualquer organização investisse **tempo, talento** e **dinheiro** sem que houvesse a garantia de um **retorno sobre investimento** (ROI). Um *design* centrado no jogador não renega os objetivos da empresa, apenas os suplanta, colocando as metas de cada jogador como primárias. Neste caso, os objetivos da organização tornam-se um subproduto e serão alcançados como uma consequência do fato de cada jogador atingir suas próprias metas. Os resultados positivos da implementação do aplicativo *Esquadrão da Dor* foram óbvios. As crianças sentem que estão contribuindo com algo maior que elas próprias e ganham algum controle sobre suas vidas. Os pesquisadores, por sua vez, obtêm as informações de que precisam. **O ganho é mútuo!**

Às vezes é preciso estabelecer as metas que cada jogador deverá alcançar e fazer com que estas sejam adotadas como deles. Como vimos no caso do Foursquare, o **objetivo** de se tornar o "prefeito" de um local não foi uma ideia que partiu dos jogadores, mas que fora estabelecido pela empresa e adotado pelos participantes. Com frequência, os objetivos somente são significativos para uma comunidade específica e, nesse caso, os *designers* precisam criar premiações que motivem o público-alvo. Por exemplo, uma divisa (insígnia) para "a habilidade de acender fogueiras" não é algo que um menino saiba que deseja até se tornar um escoteiro. Dentro dessa comunidade essa condecoração é bastante significativa. Conforme analisarmos os vários exemplos que serão apresentados neste livro você descobrirá que a motivação para atingir suas metas é, com frequência, criada pela comunidade. Essas regras sociais motivam as pessoas a alcançarem objetivos que são valorizados dentro desse grupo. De maneira simplificada, a motivação para alcançar uma meta é, em geral, criada por *designers* experientes e adotada pelo público-alvo.

Dependendo do aplicativo, pode ser viável para a organização estabelecer objetivos que os jogadores venham a adotar. Todavia, existem casos em que as metas dos jogadores e da organização simplesmente não estão alinhadas, tampouco é possível equipara-las. Nessas situações, talvez a gamificação não seja a melhor abordagem e a única saída seja oferecer pagamento aos participantes ou garantir-lhes outro tipo de recompensa mais tangível.

Entretanto, nem todas as empresas compreendem essa sutil distinção entre recompensas extrínsecas e intrínsecas, tampouco a maneira de engajar jogadores para que estes alcancem as metas da companhia. Muitos ainda veem a gamificação como um esplêndido **programa de recompensa** ou **fidelidade**. Ou, quem sabe, como um meio de transformar tarefas desagradáveis em jogo. No próximo capítulo veremos um pouco mais sobre o que distingue a gamificação de programas de recompensa e videogames.

RESUMO

✓ A gamificação **envolve** as pessoas em um **nível emocional**, o que se revela bem mais poderoso que quaisquer estratégias típicas de engajamento transacional.

✓ Recompensas **intrínsecas** são capazes de **sustentar o envolvimento**, enquanto as **extrínsecas** exercem um **impacto menos duradouro** e podem, inclusive, desencorajar os jogadores.

✓ As pessoas são motivadas pela manutenção de um **senso de autonomia**, em que progridem rumo ao domínio de um determinado tópico e se envolvem com um propósito maior que elas mesmas.

- ✓ *Designs* centrados nos jogadores começam pelo **entendimento dos objetivos** e das ambições dessas pessoas, e aposta numa experiência que envolva os participantes em um nível emocional que os ajude a alcançar metas que sejam significativas para eles próprios.
- ✓ A gamificação segmenta **grandes objetivos** em **desafios menores** e mais práticos, encorajando os jogadores à medida que progridem nos níveis e envolvendo-os emocionalmente para que deem o melhor de si.
- ✓ Se os **objetivos** dos jogadores estiverem alinhados com os da organização, então eles serão **alcançados** como uma **consequência natural do atingimento das metas** individuais de cada jogador.

Capítulo 2
Dê sentido aos jogadores

Agora que compreendemos o significado de gamificação precisamos entender o que ela **não** é. Há muita confusão e muito debate em torno das similaridades e diferenças entre *videogames*, programas de recompensa e gamificação. Pelo fato de os três compartilharem algumas características comuns e afins, tais como pontos e níveis, as pessoas tendem a pensar que sejam a mesma coisa e que os princípios aplicados a um sirvam para o outro. Contudo, *videogames* e programas de recompensa são bastante diferentes da gamificação, e é crucial compreender claramente tais dissemelhanças para evitar confusões.

Empresas que oferecem programas de recompensa e incentivos veem a si mesmas como **"usuárias de longa data da gamificação"**. Elas, inclusive, consideram difícil distinguir a gamificação dos programas já adotados por elas. Porém, os motivadores primários usados nessas diferentes abordagens geram resultados distintos. Programas de fidelidade, recompensa e incentivo funcionam como um pagamento (uma retribuição) aos jogadores que completarem certas tarefas definidas pela organização patrocinadora. Não estou sugerindo aqui que a gamificação seja uma abordagem superior em relação às demais mencionadas, todavia, é melhor saber de antemão o tipo de objetivo que você está tentando alcançar ao tentar garantir o envolvimento das pessoas.

Alguns dos mais conhecidos programas de recompensa são os oferecidos pelas empresas aéreas. Embora a maioria dos prêmios nesses programas possa ser considerada tangível (por exemplo, viagens gratuitas, acesso à área VIP), eles também incluem algumas recompensas abstratas, tais como prioridade no *check-in* e embarque.

A diferença entre gratificações tangíveis e intangíveis nos programas de companhias aéreas foi justamente o ponto focal da história do filme *Amor Sem Escalas (Up in the Air).* No filme, George Clooney interpreta Ryan Bingham, um consultor de negócios especializado em demitir pessoas em empresas que estão passando pelo processo de reestruturação organizacional, ou seja, cortando funcionários. Ele passa a maior parte do tempo voando e vivendo em hotéis, e sua vida é tão vazia quanto seu apartamento – ele não tem esposa, nenhum amigo de verdade e pouco contato com a família. Sua paixão é **colecionar pontos** como passageiro habitual e seu objetivo é alcançar **dez milhões de milhas** e se tornar parte de um grupo exclusivo composto apenas por 6 indivíduos. De fato, este grupo é tão exclusivo que chega a ser "menor que o de pessoas que já caminharam na Lua". A recompensa por atingir essa meta é: "Você ganha *status* executivo, pode se encontrar com o piloto-chefe, Maynard Finch, e seu nome ainda é escrito na lateral do avião."[1] De modo interessante, as gratificações que Ryan Bingham mais preza são as que representam envolvimento emocional para ele, não propriamente os voos gratuitos.

A partir disso podemos concluir que Ryan Bingham esteja emocionalmente ligado ao seu programa de voos regulares, contudo, eu diria que ele é uma exceção. Sendo eu mesmo um passageiro constante (sem, entretanto, chegar ao nível do senhor Bingham), posso atestar que não tenho nenhum apego emocional a programas de recompensa. Eles usam algumas das mecânicas (pontos, níveis) das soluções gamificadas, porém, em essência, envolvem as pessoas apenas em um nível transacional. Trata-se de um sistema de retribuição: "Pague dez viagens e ganhe uma de graça." Embora esses programas tenham comprovado seu valor ao longo do tempo, esse tipo de oferta não atinge as pessoas em um nível emocional. Programas de fidelidade não inspiram indivíduos, pois dependem de um envolvimento transacional que seja atraente para a lógica das pessoas, não para suas emoções.

O QUE É TÃO DIFERENTE SOBRE A GAMIFICAÇÃO?

Não surpreende o fato de as pessoas colecionarem pontos para depois poder aproveitar os voos gratuitos – seria ilógico deixar dinheiro em cima da mesa e ir embora. A distinção fundamental entre gamificação e programas de incentivo e recompensa é que a gamificação envolve as pessoas de um modo que seja significativo para elas. Compreender essa diferença pode ajudar as empresas a se concentrarem no que torna a gamificação uma técnica tão poderosa de engajamento com seu público-alvo (ver Figura 2.1).

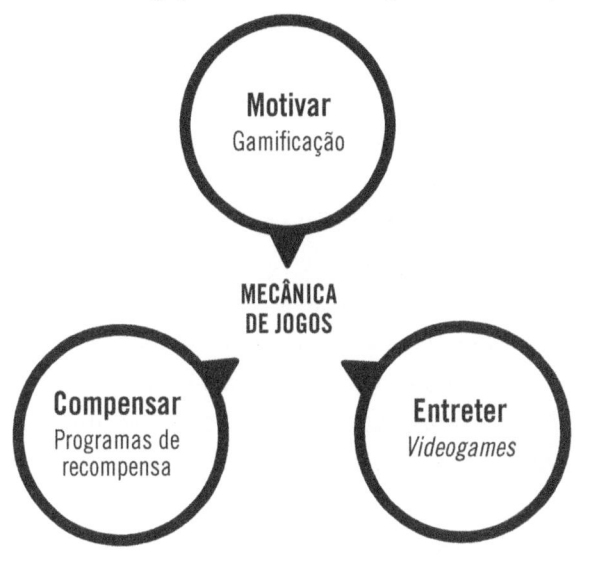

Figura 2.1: Gamificação, programas de recompensa e *videogames*

A gamificação, os *videogames* e os programas de recompensa são similares em alguns aspectos:

- Eles engajam os "jogadores" de modo voluntário.
- Eles usam mecânicas de jogos tais como atribuição de pontos e designação de níveis.
- Eles são interativos.
- Eles incorporam a progressão para mover os "jogadores" ao nível seguinte.

Todavia, as **diferenças** são mais **importantes** que as **similaridades**. *Videogames*, programas de recompensa e gamificação envolvem pessoas em níveis bastante distintos e possuem propósitos completamente diversos.

- Os jogos engajam os jogadores primariamente em um nível fantástico e bem-humorado com o objetivo de **entretê-los**.
- Os programas de recompensa envolvem os jogadores em um nível transacional para **compensá-los**.
- A gamificação envolve os jogadores em um nível emocional, com o intuito de **motivá-los**.

Os jogos têm apenas uma missão: entreter os jogadores. Para conseguir tal façanha, os *gamers* utilizam histórias elaboradas, elementos gráficos e animação para criar experiências realistas para os participantes. O objetivo é fazer com que eles fiquem imersos em um mundo fantástico e no papel que interpretam dentro dele.

Os programas de recompensa se concentram: 1º) em desenvolver maior valor para os clientes e a repetição de transações; e 2º) gratificar os funcionários pelo alcance de metas estabelecidas. Os mais comuns são os das companhias aéreas, dos hotéis e dos programas de fidelidade de revendas, mas também incluem programas de incentivo aos funcionários e outras categorias.

Isso não significa necessariamente que existam linhas visíveis entre *videogames*, gamificação e programas de recompensa. Como veremos logo mais, programas de recompensa também oferecem alguns incentivos que engajam pessoas em um nível emocional. Algumas soluções gamificadas, em contrapartida, oferecem recompensas tangíveis em sua mescla de incentivos. Jogos sérios são aqueles que têm um propósito e tem existido há décadas. Essa categoria de jogos combina o entretenimento dos *videogames* com material educativo para tornar o aprendizado mais divertido. A diferença está realmente no modelo de envolvimento primário, nas estruturas de incentivos e no propósito.

Para compreender e distinguir o **propósito fundamental da gamificação**, dos *videogames* e dos programas de recompensa, é interessante observar a questão do dinheiro. Todos custam alguma coisa. Alguém os oferece e alguém os joga – e um desses lados está pagando por isso. Ocorre uma troca de valores. Nos *videogames* o jogador paga ao desenvolvedor pelo valor do entretenimento proporcionado pelos jogos.

Nos programas de recompensa e/ou incentivo, a organização patrocinadora (companhia aérea, hotel, rede varejista ou empregador) paga os jogadores com recompensas tangíveis pela repetição dos negócios (no caso dos clientes) ou pelo aumento da produtividade (no caso dos funcionários). Na gamificação, a empresa patrocinadora e os próprios jogadores exercem papéis que se entrelaçam. De maneira típica, a empresa paga pela solução gamificada e os jogadores **jogam de graça**. Uma vez que os objetivos são compartilhados, o valor também é dividido entre jogadores e organização. Não há fluxo de dinheiro, tampouco recompensas tangíveis entre jogador e patrocinador.

Como já vimos, *videogames*, gamificação e programas de recompensa possuem diferentes propósitos, envolvem pessoas em níveis distintos e apresentam trocas de valor dissimilares. Porém, pelo fato de todos usarem mecânicas de jogos – como pontos, níveis e placares –, essas características compartilhadas levam as pessoas a fundirem os três elementos. Todavia, tal confusão tem gerado inúmeros debates ressonantes.

GAMIFICAÇÃO NÃO DIZ RESPEITO A DIVERTIMENTO

Embora pareça contraintuitivo, a gamificação não está associada à ideia de divertimento. Ao ouvir o termo gamificação, muitas pessoas partem da premissa de que é possível tornar todas as atividades divertidas acrescentando pontos e divisas, como em um jogo. Há inúmeros *sites*, *blogs* e artigos – incluindo algumas de nossas pesquisas iniciais – que, de maneira improvável, afirmam que "a gamificação pode tornar o trabalho mais divertido." Em geral, as comunidades de desenvolvedores de *videogames* não gostam da gamificação, uma vez que essa prática "barateia" o trabalho que eles realizam, o que é compreensível. Algumas pessoas alegam que os *videogames* são uma forma de arte, com elementos criativos como gráficos, música e roteiro. Em contrapartida, a gamificação está mais centrada na **ciência da motivação**. Alguns indivíduos são bastante apaixonados em sua desaprovação. De acordo com Ian Bogost, professor da Georgia Tech e fundador associado da Persuasive Games: "A gamificação é uma baboseira do *marketing*, inventada por consultores como um meio de capturar os tão ambicionados 'monstros selvagens' dos *videogames* e domesticá-los de modo que seja possível utilizá-los nos meandros acinzentados e desolados dos negócios, onde sempre reina o papo-furado."[2]

Jesse Schell, professor de tecnologia do entretenimento na Carnegie Mellon University e fundador da Schell Games, afirmou em sua palestra na cúpula D.I.C.E* de 2013 o seguinte: "Adicionar mecânicas de jogos a elementos que não são jogos é algo muito complicado."[3] Ele compara a gamificação à colocação de cobertura de chocolate em cima de pratos salgados – como queijo *cottage*, por exemplo – ou, inclusive, de coisas que nem são alimentos – como grampeadores. Enquanto o chocolate de fato torna alguns itens mais saborosos, esse efeito não é universal. Na verdade, ele até brinca que a atitude de acrescentar chocolate a tudo é **"chocolatificação"**.

Considerando-se que muitos dos aficionados pela gamificação também compreendem e promovem essa ideia como um meio de transformar em jogos atividades que não são associadas a eles, não surpreende o fato de as comunidades de desenvolvedores de jogos estarem irritadas. Embora os *videogames* e a gamificação usem mecânicas de jogos – como pontos, divisas e placares –, ambos são fundamentalmente distintos. Agora que compreendemos as diferenças entre gamificação e jogos, vamos examinar de que maneira os programas de recompensa e gratificação diferem da gamificação.

GAMIFICAÇÃO NÃO É UMA RETRIBUIÇÃO

De modo típico, programas de recompensa oferecem a seus membros descontos e ofertas especiais, tais como voos gratuitos ou diárias em hotel, pelo uso contínuo dos serviços da empresa. Embora sejam normalmente

---

* A sigla, em inglês, significa *Design*, Inovação, Comunicação e Entretenimento). Trata-se de um encontro anual para executivos do ramo de *videogames* realizado em Las Vegas, no Estado de Nevada, (EUA).

denominados "**programas de fidelidade**", talvez um nome mais adequado fosse "**esquema de propina**", em especial se a intenção daquele que oferece for a de influenciar o comportamento nas compras de clientes cujas viagens são pagas pelas empresas onde estes trabalham, mas as recompensas são atribuídas ao indivíduo. **Ainda se lembra de Ryan Bingham?**

O mesmo se aplica à maioria dos programas de incentivo aos funcionários. Os empregados recebem recompensas tangíveis em troca do alcance de resultados específicos. Talvez seja uma viagem ao Havaí por atingirem suas metas de vendas ou ingressos para o futebol por cumprirem objetivos em termos de produção. Nesses casos os funcionários são recompensados por realizarem metas organizacionais, com pouca atenção ao fato de esses colaboradores compartilharem delas ou não. É desnecessário que haja uma comunhão neste sentido – os empregados têm objetivos diferentes em relação à empresa: **eles querem ganhar o prêmio.**

A GAMIFICAÇÃO É ALGO NOVO?

Com apenas doze anos e furioso pela injustiça do trabalho infantil, Craig Kielburger tornou-se um ativista social. Depois de viajar de sua terra natal, o Canadá, para o sul da Ásia, e conversar com crianças trabalhadoras, ele e seu irmão Marc fundaram o que viria a se tornar a Free The Children (Libertem as Crianças), uma instituição de caridade internacional e um movimento da juventude cujo objetivo é: "atribuir poder e permitir que os jovens se tornem agentes da mudança." Free The Children projetou sua abordagem Adopt a Village (Adote um Vilarejo) para possibilitar mudanças sustentáveis em comunidades, concentrando-se na educação, oferta de água limpa, saúde, renda alternativa, vida, agricultura, segurança dos alimentos e no saneamento básico. Esse programa opera em comunidades no Quênia, na Índia, no Equador, na Nicarágua, na China rural, no Haiti, em Serra Leoa e em Gana.[4]

Além disso, Craig Kielburger é apaixonado pela ideia de inspirar jovens a agirem em prol de mudanças globais. Como ele me disse certa vez: "Com muita frequência os jovens pensam que estão sozinhos. Quando veem problemas em suas escolas e no mundo, estes parecem gigantescos e avassaladores. Isso pode fazer com que nós todos nos sintamos insignificantes." Então a entidade Free The Children criou o *We Day* (*Dia do Nós*), uma série de eventos destinados a inspirar os jovens a agirem.[5]

Os eventos que fazem parte do *We Day* acontecem em nove cidades no Canadá e três dos EUA. Eles reúnem milhares de jovens em um estádio para uma celebração que dura o dia todo, com educação, envolvimento, palestras inspiradoras e apresentações centradas em questões locais e/ou globais. Para participar os membros precisam ganhar os ingressos por meio da realização de algum serviço que exerça impacto social positivo, seja de caráter local ou no exterior. Os participantes deixam o evento se sentindo conectados à comunidade de indivíduos jovens que pensam da mesma maneira e estão entusiasmados por fazerem a diferença no mundo em que vivem.

A pergunta é: **como sustentar o envolvimento e a motivação durante todo o ano e atingir cada vez um público maior?** Como explicado pelo próprio Craig: "Agora o desafio é o fato de que o *We Day* ocorre em um único dia. Nosso sonho é levar o espírito e o sentimento de conectividade, empoderamento e educação que vemos no *We Day* e transformá-lo em algo que seja mais constante em nossas vidas, e bem mais fortalecedor – afinal, é possível conectar-se diariamente com essa energia e viver dentro do mesmo espírito 365 dias por ano."

Para responder a esse desafio, a Free The Children fechou uma parceria com uma companhia de telecomunicações canadense, a TELUS. O objetivo é instituir a *We365* (*Nós365*), uma solução gamificada que envolva e motive digitalmente jovens durante todo o ano. A *We365* tem como alvo os jovens que estejam comprometidos com o bem social. Seu desejo é estender a motivação do *We Day* para permitir que as pessoas apoiem causas, completem desafios, rastreiem e verifiquem horas de voluntários e sejam parte de uma comunidade maior de pessoas que já estejam agindo em prol do bem social. Jill Schnarr, vice-presidente de assuntos comunitários na TELUS, afirmou: "O sucesso está realmente inspirando um grupo bem maior de crianças a ir além do *We Day*, tanto em termos nacionais quanto internacionais. I objetivo é fazer com que todos sintam que possuem as ferramentas que irão permitir que eles retribuam e vejam a si mesmos agindo em qualquer causa pela qual estejam apaixonados para que mudanças sociais reais e profundas aconteçam."

Como podemos ver no exemplo da Free The Children, o que é novo sobre a gamificação é o fato de que ela usa o envolvimento digital para estender a motivação além dos limites físicos. Na verdade, existem muitas vantagens no uso de um modelo digital:

Escala (tamanho) – Interações digitais podem conectar públicos de quaisquer tamanhos.
Tempo – Interações digitais independem de outras pessoas estarem disponíveis em tempo real.
Distância – Graças à Internet, interações digitais estão disponíveis em praticamente todos os lugares.
Conexão – Com o *networking* social, seus amigos estão sempre perto do você.
Custo – Interações digitais custam bem menos que as efetivas (face a face).

Craig Kielburger reconhece o poder de usar o engajamento digital para estender a inspiração do *We Day* para transformar a participação em mudanças sociais em uma atividade que perdure o ano todo, indo, inclusive, além dos jovens e abrangendo também os adultos e as corporações. Ele diz: "Penso que, no futuro próximo, chegará o dia em que a *We365* irá eclipsar a *We Day*. Ela será bem maior em termos de frequência de uso, reconhecimento da marca e experiência empoderadora (*empowering*)."

TENDÊNCIAS CAPACITADORAS

Como veremos na sequência, a gamificação e o engajamento digital estão estendendo a motivação em várias áreas diferentes. De fato, existem inúmeras tendências adjacentes que também estão estimulando a adoção da gamificação:

Desintermediação. A eliminação do intermediário tem sido um resultado inevitável do acesso direto das pessoas a produtos e serviços. Nós já experimentamos o impacto da desintermediação com agentes de viagem, vendedores de seguros, corretores de ações e vendedores de livros. A desintermediação está agora se estendendo a outras áreas, incluindo *coaching* e treinamento. Cada vez mais as pessoas que oferecem esses serviços estão sendo substituídas por serviços baratos ou gratuitos disponíveis na Internet ou oferecidos via aplicativos de *smartphone*. A gamificação oferece uma forma de motivação na qual o contato pessoal foi substituído por um modelo de envolvimento digital.

Networking **social.** Hoje em dia as pessoas não precisam sair de suas casas para se conectarem com amigos ou até mesmo conhecer novas pessoas. Esse tipo de conexão social está exercendo um impacto sobre abordagens de motivação tradicionais que dependem de encontros físicos. Por exemplo, grande parte do sucesso da Weight Watchers (Vigilantes do Peso) pode ser atribuída à interação social estimulada em seus encontros. Com redes sociais como o Facebook, obter apoio de várias pessoas que estão passando pelas mesmas mudanças que você torna-se fácil e gratuito. A gamificação utiliza as mídias sociais para aumentar o poder dos círculos sociais, permitindo que seus usuários recebam o encorajamento de amigos e intensifiquem o valor de suas realizações.

A sabedoria da multidão. Ao longo da década passada, ou algo assim, as empresas mudaram sua atitude. Em vez de buscarem inovação em um grupo pequeno de indivíduos elas estão abraçando multidões. A Internet tornou viável o engajamento entre grupos maiores de pessoas e, com isso, o desenvolvimento de novas ideias. A multidão já está conectada e a sabedoria coletiva está disponível; a gamificação engaja e motiva essas comunidades para que elas participem no processo de inovação.

Essas tendências adjacentes estão substituindo as interações humanas por meio de interfaces digitais e permitindo que as pessoas: 1º) tenham acesso a uma ampla gama de recursos via Internet; 2º) mantenham-se interconectadas; e 3º) possam oferecer apoio umas às outras dentro desse ambiente compartilhado – o que falta, neste caso, é motivação. É justamente aí que entra a gamificação. Em alguns casos, o estímulo oferecido digitalmente extrai algumas formas de envolvimento e incentivo presentes em modelos tradicionais. Um bom exemplo é a própria Weight Watchers, que, embora aplique os mesmos tipos de ferramentas motivacionais da gamificação, ainda depende dos encontros interpessoais em ambiente físico. Neste sentido, a empresa já começa a sentir a ameaça representada pelo engajamento digital. No segundo trimestre de 2013 a companhia reportou um declínio em suas receitas, declarando que: "À medida que a empresa experimentou uma diminuição de clientes em caráter global, os lucros obtidos com as reuniões físicas tornaram-se menores."[6] "O que testemunhamos foi uma tendência deteriorante na área de recrutamento, particularmente nos negócios *on-line*. Sentimos que parte desse problema pode estar sendo estimulada pela repentina e continuada explosão de interesse das pessoas por aplicativos de monitoramento de atividades gratuitos", explicou o seu diretor financeiro Nicholas Hotchkin.[7] O mercado respondeu com 19% de declínio no preço das ações da organização, e o CEO acabou se demitindo.

USANDO A GAMIFICAÇÃO PARA ENGAJAR A MULTIDÃO

Quando o assunto é gamificação, a ideia de que "**quanto mais, melhor**" certamente se aplica. A gamificação alavanca os processos e se aplica melhor quando os públicos-alvo são grandes. Esse conceito funciona de duas maneiras: 1ª) uma solução única pode ser usada para engajar um número virtualmente muito grande de jogadores; e 2ª) quanto maior e mais diversificada a multidão, mais provável que as pessoas encontrem soluções inovadoras para os problemas. Além disso, a gamificação é implantada como uma solução digital onde há pouca ou nenhuma interação humana direta por parte de quem oferece a solução. Os participantes jogam uns contra os outros e/ou com a própria interface. Soluções gamificadas oferecem elevado retorno, pois são desenvolvidas uma única vez e usadas por um grande número de pessoas.

Soluções gamificadas podem custar caro por usuário se esse número for muito pequeno. Como em qualquer solução, os custos de *design* e desenvolvimento são fixos, enquanto os de implementação são variáveis. Pelo fato de os primeiros existirem a despeito do tamanho do público, sua implantação para um grande número de pessoas torna-se mais barata *per capita*.

De modo inverso, se o número de usuários é pequeno, um modelo de **engajamento pessoal** direto pode se revelar mais adequado (e menos custoso) que uma solução gamificada. De maneira bem simples, se o seu público-alvo for constituído de dez corredores em treinamento será melhor contratar um *coach* que desenvolver uma solução que simule a presença de um. A gamificação é, com frequência, uma substituta para a interação e o encorajamento humanos. Com grupos menores é provável que a interação humana real funcione melhor e represente custos inferiores.

Em geral, os públicos para soluções gamificadas se dividem em três segmentos: **funcionários, clientes** e **comunidades** de interesse. Embora talvez seja necessário estreitar ainda mais o público-alvo, com frequência é uma boa ideia ampliar o acesso. Isso é particularmente importante para soluções gamificadas que buscam soluções inovadoras, uma vez que é mais provável que um número maior de indivíduos compartilhe uma maior quantidade de perspectivas e experiências diferentes.

Foco no funcionário. Certos tipos de soluções gamificadas são tipicamente utilizadas dentro das organizações para engajar e motivar todos os funcionários (como veremos nos jogos de inovação) ou subgrupos de colaboradores com objetivos específicos, como: agregar novos contratados ou aprimorar o desempenho de empregados dentro de uma determinada função, como vendas ou serviços.

Foco no cliente. Organizações usam soluções centradas no cliente para agregar valor aos produtos/serviços oferecidos, treinar clientes para que possam utilizá-los e arregimentar cocriadores de novos produtos, além de diversos outros propósitos. Definir o cliente é sempre um desafio, mas a oportunidade oferecida pelas soluções focadas no cliente é a de engajá-los no consumo de artigos e serviços.

Foco na comunidade de interesse. Soluções gamificadas para esse grupo são com frequência disponibilizadas abertamente na Internet para qualquer pessoa que queira utilizá-las. Nesses jogos os participantes selecionam por si mesmos e se registram com base em seus interesses pessoais. A gamificação pode ser usada para motivar consumidores que defendem o meio ambiente a reciclar, a ajudar interessados a desenvolverem suas habilidades em outro idioma ou até mesmo reunir cidadãos cientistas para a resolução de problemas científicos complexos. Existem tantas comunidades interessadas quanto o próprio número de áreas de interesse (ver Tabela 2.1).

	Clientes	Funcionários	Comunidade
Alterar comportamentos	Nike	DIRECTV	AHA
Desenvolver habilidades	Change Healthcare	NTT Data	Khan Academy
Impulsionar inovação	Barclaycard	DWP	Quirky

Tabela 2.1: Públicos-alvo e usos da gamificação

Além dos três públicos-alvo – clientes, funcionários e comunidades de interesse – existem três categorias de uso da gamificação: **alterar comportamentos; desenvolver habilidades; e impulsionar inovações.** A Tabela 2.1 serve a dois propósitos: (1º) os eixos descrevem os públicos-alvo e os usos para um aplicativo gamificado e (2º) as empresas listadas são exemplos de soluções gamificadas que abrangem todos os usos e públicos, e serão vistas mais adiante neste livro. Se não conseguir localizar o público-alvo e o uso nessa tabela, reveja a sessão anterior neste capítulo para determinar se a gamificação é a abordagem adequada para o seu objetivo.

Nos demais capítulos da Parte I, exploraremos como as organizações que aparecem na Tabela 2.1 – entre outras – usaram a gamificação para alterar comportamentos, desenvolver habilidades e impulsionar inovações para cada tipo de público. Independentemente da coletividade com a qual estiver se envolvendo, com frequência os passos são similares em cada área. Nos próximos capítulos examinaremos alguns caminhos comuns para o sucesso em cada um desses usos.

RESUMO

- ✓ **Gamificação, jogos** e **programas de recompensa** – Todos eles usam mecânicas de jogos como pontos, divisas e placares, porém, as similaridades terminam aí.

- ✓ **Programas de fidelidade, recompensa** ou **incentivos** funcionam como uma retribuição para jogadores que completam certas ações prescritas pela organização patrocinadora, que, aliás, se responsabilizam pelos custos dos programas e das recompensas oferecidas aos participantes.

- ✓ Os **jogos** não têm outro propósito senão o de **entreter** os participantes. Quando um jogo é bem-sucedido, os integrantes pagam pelo custo do jogo e pelo lucro do provedor.

- ✓ A **gamificação** gira em torno de **motivar jogadores a atingirem objetivos** que são compartilhados pelo provedor e pelo jogador. Normalmente, o provedor paga pela solução e os jogadores participam de modo gratuito.

- ✓ O que é novo sobre a gamificação é o fato de ela usar um **modelo digital** para estender o engajamento e a motivação para além das interações face a face, quebrando barreiras de tamanho, tempo, distância, conectividade e custo.
  A **desintermediação**, o *networking* social e a terceirização em massa (*crowdsourcing*) são tendências adjacentes que possibilitam a gamificação.

- ✓ A gamificação serve a três propósitos: alterar comportamentos, desenvolver habilidades e impulsionar a inovação para três públicos-alvo: **clientes, funcionários** e **comunidades de interesse**.

Capítulo 3
Transformando comportamento: um passo de cada vez

Somos criaturas de hábito. Pense em sua rotina matinal. Se for como a maioria das pessoas você opera em piloto automático – rotinas tornam a vida mais fácil. Elas se formam ao longo do tempo para se transformarem em respostas automatizadas na busca pelo prazer e na evitação da dor. Mas e se você quiser alterar parte delas? Você pode ter o desejo de desenvolver um bom hábito ou superar outro ruim. Em ambos os casos a mudança será difícil. Para a maioria das pessoas, um pouco de motivação poderá fazer toda a diferença. Às vezes, precisamos de ajuda e orientação de especialistas para promover mudanças, e, em outras situações, só necessitamos de um empurrãozinho. A gamificação pode oferecer as duas coisas.

MOTIVANDO ATLETAS

Geoffrey foi enviado para o Iraque em 2008, e quando retornou para os EUA enfrentou várias situações de estresse em sua vida. Ele estava divorciado e seus filhos moravam do outro lado do país, a mais de 2.400 km de distância. Como me disse certa vez: "Eu não tinha nada para fazer e todos nós sabemos o que acontece nessas circunstâncias. Comecei a comer para lidar com o estresse, até alcançar mais de 120 kg. Então eu ouvi um chamado."[1]

Geoffrey sabia que precisava perder peso. Ela ouvira falar que a Nike estava revolucionando as atividades físicas com o lançamento do Nike+, então ele decidiu comprar um par desse modelo, que trazia um sensor ligado a um aplicativo de *iPod*. Ele considerou a experiência transformadora. Nas palavras de Geoffrey:

"Sendo um *nerd* absoluto e estando completamente envolvido com tecnologia, decidi experimentá-los. Minha primeira corrida foi de apenas uns 1.300m e quando decidi parar mal conseguia respirar. Depois disso, cada corrida se tornava mais fácil e também mais longa. Antes de perceber eu havia perdido mais de 27 kg. A questão é que não conseguia parar. No primeiro ano acumulei mais de 595 km, mas simplesmente não fui capaz de parar por aí. Aqui estou eu agora, quase quatro anos depois, prestes a alcançar a marca de 1.600 km. Eu voltei a ganhar algum peso e hoje estou com 108 kg, mas o fato é que estou mais saudável e mais feliz do que nunca em toda a minha vida."

Geoffrey é apenas um dos mais de **onze milhões de usuários do Nike+**. Desde que lançou o *kit* Nike+ *iPod*, em 2006, a Nike tem colocado no mercado um conjunto de produtos projetados para motivar atletas a atingirem seus objetivos. A linha Nike+ se expandiu, incluindo um aplicativo de *iPhone* para rastrear a corrida, tênis para a prática de basquete com sensores de movimento e o aplicativo Nike+ Kinect Training, para ajudar as pessoas a malharem em casa – apenas para listar alguns. A missão da Nike é: "Trazer inovação e inspiração a cada atleta do mundo. Se você tem um corpo, você é um atleta."[2]

Com a introdução do FuelBand, a Nike está proporcionando inovação e inspiração a um número ainda maior de atletas. O FuelBand registra os movimentos usando um acelerômetro e calcula o valor de diferentes tipos de movimento em pontos NikeFuel (combustível Nike), servindo como um medidor de movimentos e permitindo comparações entre diferentes tipos de atividades. O mais brilhante a respeito do FuelBand é o fato de o acelerômetro conseguir reconhecer padrões diferentes de movimento, como *jogging*, *step* ou caminhada na rua. Trabalhando em conjunto com a Universidade do Estado do Arizona, a Nike criou valores básicos para o consumo de oxigênio para cada um desses padrões reconhecidos. Esses valores foram registrados em laboratório. O FuelBand aplica então um fator sobre cada tipo de movimento para determinar quantos pontos foram ganhos em cada atividade.

Esse foi um objetivo importante para a Nike, já que a empresa deseja alcançar todos os atletas. Como afirmou Stefan Olander, vice-presidente da Nike para esportes digitais: "Quanto mais as pessoas se movimentarem, melhor. Portanto, temos produtos que podem inspirar e possibilitar que todos se tornem mais ativos."[3]

Parece estar funcionando. No primeiro ano após o lançamento os usuários do Nike+ FuelBand alcançaram um total de **409 bilhões de pontos** NikeFuel, o que equivale ao percurso de 44 milhões de maratonas. A energia usada seria suficiente para sustentar 6.772 casas por dia.[4] **Isso é muita motivação!**

REESCREVENDO O MODELO DE ENGAJAMENTO DO CLIENTE

A divisão esportiva digital da Nike construiu um negócio voltado para o engajamento e a motivação de atletas, cujo objetivo é permitir-lhes alcançar seus objetivos. A gamificação é parte integral dos produtos que a empresa fabrica nesse espaço. A Nike+ é um exemplo pioneiro e inovador de integração da gamificação em seu produto principal. Porém, a Nike não está sozinha nessa iniciativa. Muitas organizações usam a gamificação para mudar o comportamento dos clientes, e de várias maneiras inovadoras.

A redução do impacto ambiental é boa para os consumidores, as empresas e também para o planeta. A Opower trabalha com empresas de fornecimento de energia e usa a ciência comportamental para motivar pessoas a reduzirem o consumo de energia. Ele projeta uma arquitetura alternativa para consumidores, de modo que eles se sintam motivados a **usar menos energia**. Por exemplo, a Opower invoca normas sociais ao oferecer aos proprietários de imóveis dados que comparam seu consumo energético ao de seus vizinhos. Normas sociais são expectativas em relação ao modo como deveríamos no comportar em um grupo. Se estiver utilizando mais energia que seus vizinhos, você naturalmente perceberá esse desvio em relação ao comportamento aceito pela comunidade; a maioria das pessoas deseja se manter alinhada às normas aceitas e praticadas pelo grupo social ao qual pertencem.

A Opower usa uma variedade de ferramentas da ciência comportamental, tais como desencadeadores e autonomia para motivar as pessoas a reduzirem seu consumo de energia. Esses desencadeadores são um chamado à ação. Eles podem ser apenas lembretes que irão mostrar às pessoas como alterar seu comportamento. Apresentar comportamentos eficientes no que se refere ao uso de energia como uma escolha dá a elas a autonomia de aderirem e se tornarem mais efetivos em termos energéticos. O sucesso dos negócios depende disso. De acordo com Rod Morris, vice-presidente sênior de *marketing* e operações: "Toda a premissa por trás dos nossos negócios está relacionada à mudança comportamental. Se não alterarmos o modo como as pessoas agem, não seremos pagos."[5] Trabalhando com serviços públicos, a Opower alcança 22 milhões de lares e já conseguiu motivar as pessoas a reduzirem **três terawatts/horas de energia.**[6] Para dar uma ideia do que isso significa, tal quantidade de energia seria suficiente para alimentar as cidades de St. Louis, no Estado do Missouri, e Salt Lake City, capital do Estado de Utah, cujas populações somam cerca de 3,3 milhões de habitantes.

Desenvolver incentivos gamificados que ofereçam mais que recompensas tangíveis requer um modo de pensar diferente em relação àquilo que o consumidor valoriza. Com frequência, os consumidores dão grande importância a recompensas que têm como base a autoestima e o reconhecimento social. Como mencionado anteriormente, o EpicMix permite que esquiadores e *snowboarders* do Vail Resorts registrem as distâncias percorridas no dia, recompensando-os com prendedores. O aplicativo também oferece a opção de placar que permite a competição entre amigos, familiares e até mesmo profissionais do esporte.

Como já aprendemos, o reconhecimento social é um motivador poderoso. De acordo com Darren Jacoby, diretor de *marketing* de relações com clientes no Vail Resorts: "Bem, parte do divertimento em esquiar é justamente se gabar de seus feitos. Isso dá aos nossos hóspedes o poder de competir com seus amigos e contar vantagem."[7] A partir de uma perspectiva de modelo de negócios, o Vail Resorts usa a gamificação para tornar o ato de esquiar uma experiência mais envolvente e, ao mesmo tempo, aumenta o valor do produto que oferece aos clientes. Na temporada de 2010-2011, 15% dos hóspedes (cerca de cem mil) ativaram suas contas EpicMix.[8] Na temporada de 2011-2012, mais de duzentos mil hóspedes o fizeram, e compartilharam mais de um milhão de fotos em suas redes sociais.[9]

Além de agregar valor a seu produto, a gamificação pode engajar clientes em diferentes áreas. O banco espanhol BBVA criou o BBVA Game, um jogo para encorajar seus clientes a usarem os serviços oferecidos *on-line*.[10] O jogo recompensa os participantes por completarem desafios destinados a educá-los sobre o uso do banco via Internet, o que, por sua vez, irá estimulá-los a utilizar esse tipo de serviço. Depois que os jogadores tiverem acumulado pontos suficiente, eles poderão trocá-los diretamente por uma variedade de prêmios ou usá-los para "comprar" bilhetes de loteria. Os benefícios dos clientes incluem as recompensas oferecidas pelo aprendizado de como usar os serviços na *Web* e também a conveniência dos serviços *on-line*. O BBVA se beneficia com a redução de custos alcançada quando os clientes optam por utilizar os serviços via Internet, em vez de se deslocarem até os caixas físicos. O BBVA Game já conta com oitenta mil usuários, dos quais 15% vieram por indicações. O resultado do negócio inclui um aumento de 5% no número de utilizadores de serviços bancários pela Internet e tais usuários estão investindo 60% mais tempo no *site* do banco.

Um dos usos mais comuns da gamificação em aplicativos voltados para clientes garante a eles a oportunidade de atuarem como evangelistas da marca, a engajarem outras pessoas de maneira mais profunda e a promoverem suas marcas favoritas. O Samsung Nation, um programa de fidelização, recompensa seus clientes com pontos, níveis e divisas quando eles respondem corretamente perguntas de outros membros da comunidade, assistindo vídeos de produtos ou comentando sobre os produtos Samsung. A empresa testemunhou um aumento de 66% no número de usuários e quase quadruplicou o número de respostas para as perguntas propostas *on-line*. Além disso, 34% dos usuários do Samsung Nation efetuam compras no *site* e, mais que dobraram o número de itens adicionados nos carrinhos de compra.[11]

Agregar motivação às ofertas de produtos, alterando os modelos de interação com os clientes, e promovendo relações mais profundas são apenas algumas das maneiras pelas quais as empresas são capazes de utilizar a gamificação para soluções voltadas para os clientes. A gamificação também é usada para aumentar a participação em pesquisas de mercado, ampliar experiências em termos de conferências e elevar a pontuação para a obtenção de créditos – e essa lista continua a crescer.

Para descobrir oportunidades para influenciar o comportamento dos clientes, as organizações precisam avaliar as possibilidades de incorporar a gamificação na essência de seus produtos, usar essa ferramenta nos pontos de contato com seus clientes ou criar modelos inteiramente novos de interação com os consumidores. Tudo começa com um pergunta bem simples: "**Como nossos clientes podem ser engajados e motivados a atingir seus objetivos?**

DIRECIONANDO OS FUNCIONÁRIOS PARA O SUCESSO

Aplicativos focados nos funcionários representam a área de crescimento mais rápido em termos de soluções gamificadas, e a razão para isso não surpreende. Como já discutido anteriormente, o nível de engajamento dos funcionários é muito baixo em muitas organizações, o que transforma esse ambiente em um alvo valoroso. Existem diversos oportunidades de influenciar empregados de modo que eles alterem seus comportamentos e aprimorem os resultados obtidos – tanto para eles mesmos quanto para a empresa.

Como os funcionários de muitas organizações do setor de TI, os 800 funcionários da área de TI na DIRECTV tornaram-se avessos a riscos, a ponto de jamais ousarem dar início a projetos inovadores, tampouco a compartilharem seus fracassos para que outros pudessem aprender com seus erros. Ao mesmo tempo, os empregados estavam sendo solicitados a fazer cada vez mais e as expectativas dos usuários finais eram de que a tecnologia deveria ser mais rápida, barata e livre de quaisquer atritos. Algo precisava ser feito para quebrar essa barreira de medo que prevalecia na equipe de TI e estimular em seus integrantes o desejo de correr riscos, encarar rapidamente os fracassos e, por fim, promover o aprendizado organizacional. Para conseguir elevar a equipe de TI da DIRECTV a outro patamar e possibilitar a conquista de vantagens estratégicas, a empresa precisava encorajar a assunção de riscos e o compartilhamento dos erros cometidos. De acordo com Sven Gerjets, vice-presidente sênior de Soluções de TI: "Precisávamos mudar nossa cultura no sentido de 'desdemonizar' o fracasso dentro do setor de TI."[12]

Para iniciar essa mudança a DIRECTV lançou uma série de vídeos que encorajava os funcionários a compartilharem erros de projeto e ajudarem os colegas a evitar o cometimento dos mesmos equívocos. Porém, como eles poderiam fazer com que pessoas super ocupadas usassem seu tempo assistindo vídeos? Foi então que eles tropeçaram na ideia de gamificação e, percebendo o grande sucesso em outras empresas, decidiram incorporá-la à sua própria realidade. Eles criaram uma solução gamificada para motivar funcionários a assistirem os vídeos, compartilharem as lições aprendidas e estimularem uma cultura de maior tolerância a riscos.

A solução é chamada de F12: a letra "F" advém das palavras "*Fearless* (destemido), *Focused* (focado) e *Failure* (fracasso)" e o "12" representa o número de compromissos, dentre os quais: "Admitimos que o medo do fracasso estimula a sensação de culpa e prejudica nosso desempenho" e "Não seremos bem-sucedidos se permitirmos que o medo domine nosso coração." Esses compromissos foram criados para: 1º) fazer com que a equipe de TI pensasse de maneira diferente e 2º) promover uma diferente linguagem em relação ao fracasso. Usando a mecânica de jogos e *design* de experiências, a solução encorajou as pessoas a adotarem novas maneiras de trabalhar. Os jogadores ganham pontos por assistir os vídeos, ler artigos e responder perguntas. Todavia, de acordo com Sven Gerjets: "Isso faz parte do jogo básico. Também temos atividades valendo pontos extras, como a realização de sessões de lanche-aprendizado ou a criação de vídeos com estudos de caso com lições aprendidas a partir de projetos que não funcionaram.

Como disse Russell Bacon, gerente-sênior responsável pela metamorfose no setor de TI na DIRECTV: "Nós realmente queríamos que os funcionários começassem a ensinar uns aos outros sobre seus fracassos, permitindo que os colegas se sentissem mais seguros em relação ao cometimento de erros e, ao mesmo tempo, criando um ecossistema de compartilhamento de conhecimento." A DIRECTV criou um **"cofre de fracasso"**, no qual 120 casos foram arquivados. A administração de projetos da empresa utiliza esses casos como "modelos a não serem seguidos" nos projetos. A abordagem *premortem* é preventiva e visa evitar erros. No início de cada novo projeto, a equipe responsável avalia outros similares para compreender os desafios enfrentados e, ao mesmo tempo, evitar a repetição de quaisquer equívocos.

Os jogadores são guiados a partir do nível básico de aprendizado passivo através de um nível ativo de compartilhamento das lições aprendidas, para, no final, demonstrar as mudanças. Os membros da equipe conseguem dar nome às pessoas que realmente adotaram a mudança cultural para atribuir recompensas, tais como o "Campeonato F12" e o "Prêmio de Colaboração."

Um dos aspectos-chave da solução foi integrar plataformas de mídia social e avaliações de sentimentos para compreender como a solução estava sendo percebida pela equipe de TI. Segundo Bacon: "Nós realmente usamos o aspecto social para ajustar nossa jornada; podemos fazer algo diferente levando em consideração o *feedback* obtido."

De fato, uma das primeiras lições aprendidas pela equipe F12 ajudou a nortear toda a jornada. Nas primeiras semanas depois do almoço, cerca de metade da equipe de TI já estava ativa no F12, mas o grupo desejava estimular uma participação ainda maior e criou prêmio **"Zero to Hero"** (**"Do Zero ao Sucesso"**) para encorajar os jogadores com menos de dez pontos no jogo a se envolverem mais. A equipe F12 disponibilizou ingressos para o jogo de hóquei para os três melhores novos jogadores que acumulassem mais pontos em um período de três dias. Superficialmente, o incentivo foi um sucesso, uma vez que a participação subiu para 75%. Entretanto, análises indicaram que o sentimento em relação à solução F12 acabou se tornando consideravelmente mais fraco. Em uma pesquisa mais aprofundada, descobriu-se que os membros que haviam adotado o sistema mais cedo viam esse novo prêmio como um incentivo à não participação. É óbvio que essa não era a mensagem que a equipe desejava transmitir, então ela rapidamente introduziu a divisa **"Assistência F12"**, oferecida às pessoas que ajudassem outros colegas a entrarem no F12. A participação subiu para 95% e a expectativa superou os níveis registrados anteriormente. O que eles também descobriram foi que pontos e divisas eram, de fato, mais efetivos em estimular os comportamentos desejados que prêmios mais tangíveis, como "ingressos para o hóquei," sustentando o que fora aprendido com Dan Pink, de que recompensas extrínsecas podem, de fato, exercer um efeito negativo.

De modo geral, a solução F12 se revelou um enorme sucesso, não apenas em termos da adoção do sistema, mas, ainda mais importante, pelo alcance dos objetivos reais. Como afirmou Sven Gerjets: "Em última análise, não estamos medindo o sucesso do jogo, mas da mudança cultural." A DIRECTV tem observado um aumento nas métricas de produção e qualidade. Em termos qualitativos, a companhia está observando uma despressurização na assunção de riscos e também uma mudança em relação à linguagem relacionada a fracassos. A gamificação é uma ótima abordagem para guiar as pessoas de modo que elas mudem seus comportamentos e se tornem mais eficientes, porém, não se revela uma grande saída no sentido de fazer com que elas construam mais coisas. Se o problema for apenas a produção, então um programa de incentivos com recompensas tangíveis será, provavelmente, a resposta certa. Por exemplo, empresas do setor de vendas com frequência realizam competições e oferecem aos vencedores – os melhores vendedores – prêmios na forma de viagens com destinos exóticos. Esse tipo de programa de incentivo pode ser eficiente no sentido de motivar os melhores funcionários a trabalharem ainda mais. Todavia, a gamificação não serve para motivar as pessoas a atingirem metas da companhia, e sim seus próprios objetivos. Pouquíssimos empregados se sentem estimulados a trabalhar mais, porém, muitos deles se sentem incentivados a trabalhar melhor. E é aí que a gamificação pode ser mais bem aplicada.

Com frequência, conseguir que as pessoas trabalhem **melhor** significa fazer com que elas adotem conhecidas estratégias de sucesso. Para garantir tal mudança de comportamento, a gamificação pode ser integrada a outros processos para treinar os empregados ao longo da execução do processo, por exemplo, utilizando a técnica como um gatilho para motivar vendedores a inserir no sistema a maior quantidade possível de detalhes sobre clientes potenciais ou incentivá-los a ligar para esses clientes após as reuniões. Essa abordagem promove alterações comportamentais mais direcionadas e pode sutilmente guiar os funcionários de uma maneira mais segura ao longo de todo o processo, ajudando-os a solucionar eventuais problemas durante a execução.

Viagens de negócios nos dão um exemplo de como a gamificação é capaz de aprimorar processos. Inúmeras organizações de grande porte já implementaram programas de viagem com políticas que buscam equilibrar as preferências de viagem dos funcionários aos objetivos corporativos de redução de custos nessa área. Porém, em algumas empresas os empregados escolhem opções de viagem que não estão de acordo com as políticas corporativas.

Agora, alguns serviços de viagem utilizam a gamificação para incentivar indivíduos que viajam a negócios a escolherem alternativas melhores para a organização sempre que viajarem a serviço. À medida que o funcionário avalia as opções, ele é recompensado com pontos e divisas por selecionar aquelas que estejam mais de acordo com as políticas internas. Em alguns casos, esses pontos podem ser acumulados e usados pelo próprio funcionário na seleção de alternativas de viagem que não atendam às limitações impostas pela empresa, e quando for mais significativo para quem viaja. Desse modo, tanto os objetivos da organização quanto do empregado serão atingidos. As empresas conseguem aumentar a adesão dos colaboradores à sua política de viagens e, ao mesmo tempo, oferecer a esses viajantes o direito de selecionar alternativas que estejam fora desses mesmos critérios quando lhes parecer mais apropriado.

INCENTIVANDO A COLABORAÇÃO SOCIAL

A gamificação e a mídia social possuem uma relação simbiótica. Como já mencionado, para ampliar suas realizações, as soluções gamificadas são com frequência associadas a *sites* de mídia social. Porém, essa relação também funciona no sentido inverso. A gamificação pode ser usada para incentivar a adoção de mídias sociais tanto na colaboração interna quanto externa.

Como acontece com muitas empresas, a NTT Data tinha grande dificuldade de estimular a adoção de sua plataforma de colaboração social interna. Com 60 mil funcionários em 36 países, havia muitas oportunidades de trabalho colaborativo por toda a organização. Para aproveitar essas oportunidades, a NTT Data implantou uma plataforma de rede social chamada *Socially* (*Socialmente*). Contudo, os resultados iniciais foram desapontadores. Depois de três meses, somente 250 funcionários estavam usando o sistema.

O diretor de Infraestrutura Tecnológica da empresa, Imran Sayeed, decidiu então usar a gamificação para estimular a adoção da plataforma pelos funcionários. A partir daí, aqueles que participassem do *site* receberiam *"Karma Points"* (*"Pontos Carma"*), podendo, inclusive, verificar sua colocação em um placar. A adoção cresceu vertiginosamente, com o número de usuário excedendo 4.500 dentro de poucos meses e a colaboração ocorrendo entre funcionários dos EUA, do Canadá e da Índia. Os participantes usaram o *site* de mídia social para responder perguntas, compartilhar ideias e localizar especialistas em áreas específicas. O sucesso na gamificação da solução foi tamanho que a NTT Data desenvolveu um centro de excelência na área, comandado por Naureen Meraj, cuja área de especialização é o uso de *games* para encorajar alterações comportamentais positivas.[13]

Todavia, a experiência da NTT Data **não é exclusiva**. Aliás, é provável que estejamos apenas no início da fusão entre a gamificação e o trabalho colaborativo. Vendedores estão começando a incorporar mecânicas de jogos em plataformas mais populares, tais como o Microsoft SharePoint e o IBM Connections, que, por sua vez, estenderam a gamificação a um número ainda maior de empresas.

A Gartner acredita que a integração da gamificação, das mídias sociais e da telefonia móvel irá aumentar a atratividade, o uso e a eficácia dos aplicativos. Em 2012, Tom Austin, analista da Gartner, previu o seguinte: "Em 2017, a maioria dos aplicativos exibirá uma fusão gamificada entre o móvel e o social."[14]

A gamificação pode ocupar um papel significativo na mudança comportamental dos empregados. Como já vimos, as empresas já estão usando a gamificação para alterar a cultura corporativa, incentivar pessoas a cooperar com políticas de viagem e estimular a adoção de tecnologias de colaboração social. Outros exemplos incluem propulsionar a sustentabilidade, promover práticas de trabalho seguras e otimizar o serviço de atendimento ao cliente e o desempenho de projetos. Enquanto essa lista continua a crescer, a Gartner também acredita que exista uma enorme oportunidade para aplicar a gamificação na **administração de mudanças**.

Meus colegas e eu conversamos com empresas que usam a gamificação como método primário para transformar operações comerciais. Porém, implantar as mudanças de maneira bem-sucedida é difícil. O dr. John Kotter, especialista na gestão de mudanças provou que: "70% de todos os grandes esforços de mudança nas empresas fracassam. Por quê? Pelo fato de que as organizações com frequência não utilizam a abordagem holística necessária para transformá-los em realidade."[15]

A gamificação pode ajudar a implementar alterações, definindo um caminho transformativo claro baseado em fases simples e no encorajamento contínuo ao longo do processo. Projetos de mudança podem ser qualquer coisa, menos fáceis de aplicar. Em geral, iniciativas de mudança nas empresas consistem em sobrecarregar as pessoas com programas intensivos de treinamento envolvendo os novos processos e as novas aplicações, entregando às pessoas uma pasta gigante com a descrição dos novos sistemas de trabalho e enviando-os para uma jornada complexa com a promessa de punição pela eventual não aceitação e/ou não participação na empreitada. Não surpreende o fato de as taxas de sucesso serem muito baixas.

Na gestão de mudanças, a gamificação tira uma lição importante dos jogos. Ninguém precisa ler um manual para jogar *Angry Birds*. Você simplesmente começa e vai desenvolvendo suas habilidades enquanto progride. O mesmo ocorre com a gamificação na gestão de mudanças: esse tipo de esforço de mudança reconhece que os jogadores precisam dar passos curtos no início e desenvolver suas habilidades ao longo do tempo. A dificuldade dos desafios aumenta à medida que os jogadores se tornam mais hábeis, até que eles tenham conseguido implantar totalmente as mudanças desejadas.

MOBILIZANDO COMUNIDADES – DO INTERESSE À AÇÃO

A American Heart Assossiation (AHA) é uma organização sem fins lucrativos dedicada à construção de uma vida mais saudável, livre de doenças cardiovasculares e derrames. O objetivo da AHA é aprimorar a saúde cardíaca de todos os norte-americanos em 20%, ao mesmo tempo em que se tenta reduzir as mortes causadas por essas doenças também em 20%, até 2020. Isso será alcançado por meio do financiamento de pesquisas, pelo oferecimento de educação pública na área de saúde, pelo suporte a profissionais da saúde e pela promoção de uma vida mais saudável. Os recursos da AHA são primariamente oriundos de contribuições e eventos para a arrecadação de dinheiro.

Em outubro de 2010, a AHA começou a buscar maneiras inovadoras para engajar comunidades em dois objetivos: promover uma vida mais saudável e estimular o levantamento de recursos. Em fevereiro de 2012, depois de avaliar várias alternativas, a AHA decidiu seguir adiante com a *HeartChase (Caçada ao Coração)*, um conjunto de soluções gamificadas a ser usado em eventos especiais organizados por voluntários dentro da comunidade e apoiados pela AHA.[16] A essência da *HeartChase* é um aplicativo utilizado pelos jogadores durante o evento. A *HeartChase* é uma maneira divertida de os participantes se engajarem em atividades saudáveis para o coração, enquanto levantam fundos para sustentar a AHA.

Os eventos HeartChase transformam a comunidade em um *playground*, com equipes de dois a cinco jogadores movendo-se ao longo de cem pontos de verificação, cada um deles a distâncias máximas que variam entre 2.400 m a 3.200 m a partir do centro. O evento leva **duas horas** e, durante esse tempo, todas as equipes competem para acumular tantos pontos quanto forem possíveis. Um placar atualizado constantemente mostra o progresso de cada equipe, o que acrescenta um sabor de competição ao jogo. De acordo com Cami Thompson, diretora nacional de desenvolvimento e planejamento estratégico da AHA: "O placar muda constantemente, e isso estimula o espírito competitivo e realmente motiva os participantes."

Em cada um dos pontos de verificação, os jogadores precisam completar uma atividade saudável para o coração para receber pontos. Todas são projetadas para serem simples e divertidas, e ajudar os participantes a dar o primeiro passo rumo à tomada de decisões mais acertadas em termos de saúde. Por exemplo, um desafio típico seria que os jogadores completassem uma coreografia de Zumba. Uma vez que a atividade tenha sido realizada, os competidores escaneiam um código QR (Quick Response) para receber seus pontos. Cada evento possui pontos de verificação que podem, por exemplo, pedir às equipes que respondam a perguntas, tais como adivinhar o conteúdo de sódio de quatro alimentos na tela. A diferença numérica entre o palpite da equipe e a resposta correta deve ser caminhada pelos integrantes, que usam um pedômetro para auxiliá-los.

Além desses desafios, há cem cartões de doação escondidos que os times precisam encontrar e escanear para ganhar pontos adicionais. De maneira típica, cerca de um terço dos cartões de doação são facilmente encontrados, o segundo terço é mais difícil e o último bastante complicado de ser localizado. Esses cartões de doação também aparecem no mapa do aplicativo *HeartChase*, uma vez que tenham sido encontrados.

Controlados por voluntários, os recursos são levantados tanto pelos jogadores como por patrocinadores da comunidade. Cada membro da equipe é solicitado a levantar pelo menos US$ 50 em doações para participar, entretanto, muitos levantam mais que isso, e as equipes ainda obtêm recursos adicionais não apenas para sustentar o projeto da AHA de auxílio à vida, mas também para ganhar vantagens no jogo. Isso dá às equipes benefícios específicos durante a competição *HeartChase*, tais como a habilidade de saltar para o topo da tabela em um ponto de verificação ou fazer com que outra equipe pare de jogar por 5 min e não ganhe pontos durante esse tempo. Também existem várias oportunidades de patrocínio para empresas. Isso permite que as empresas se envolvam de maneira única e ainda lhes garante reconhecimento pelo aplicativo quando os jogadores completam cada ponto de verificação.

Os eventos *HeartChase* são atividades altamente sociais. Não só o evento, mas todas as atividades que levam ao evento utilizam as redes sociais. Voluntários controlam a participação localmente por meio de propaganda boca a boca e *feeds* nas redes sociais, como Facebook, Twitter e LinkedIn. Um painel de recrutamento avalia o progresso em comparação aos objetivos previamente estabelecidos usando barras de progressão, e inclui uma contagem regressiva para o evento.

Quarenta comunidades experimentaram a *HeartChase* ao longo de 2012, com enorme sucesso. A solução gamificada introduziu os jogadores a maneiras fáceis e divertidas de aprimorar sua saúde cardíaca, levando-os em uma jornada rumo ao aprimoramento de hábitos cujos efeitos sejam duradouros. Em uma pesquisa de acompanhamento, os jogadores relataram o encontro de novas maneiras de manter hábitos saudáveis e, em alguns casos, atingiram significativa perda de peso.

O *HeartChase* é apenas um exemplo de como a gamificação pode ser usada para ajudar a motivar uma comunidade de interesse a mudar seus comportamentos e se tornar ativa. Já vimos um exemplo no hospital SickKids, que estimula os pacientes a completarem seus relatórios de dor. Outro exemplo é o Free the Children, que usa o *We365* para engajar jovens em atividades que tenham um impacto social positivo. A variedade de aplicativos é ilimitada.

A gamificação pode ser usada para motivar pessoas a perder peso, parar de fumar ou melhorar sua condição física. E esses são apenas alguns exemplos do uso da gamificação para ajudar a motivar pessoas a mudar para melhor. Por exemplo, a *MeYou Health* tem várias soluções gamificadas que encorajam as pessoas a tomar decisões mais saudáveis e dar passos concretos no sentido de aprimorar sua saúde. Uma dessas soluções é o *Daily Challenge (Desafio Diário)*, no qual os participantes recebem diariamente um *e-mail* que os estimula a darem um pequeno passo para melhorar sua saúde, como usar as escadas ao invés de elevadores ou comer um lanche saudável. A *Daily Challenge* é só uma entre as milhares de soluções que motivam pessoas a adotarem hábitos mais saudáveis.[17]

PROCESSOS GAMIFICADOS PARA ALTERAR COMPORTAMENTOS

Seja o público-alvo formado por clientes, funcionários ou uma comunidade de interesse, todos são pessoas e respondem a estímulos similares para a alteração de comportamentos. Veja na sequência alguns passos comuns que podem ser usados em diversas situações. Hábitos se formam ao longo do tempo e, uma vez estabelecidos, pode se tornar difícil alterá-los. A verdadeira questão é como reprogramar o cérebro e substituir velhos hábitos por novos. Em um nível mais detalhado, há vários diferentes meios de criar novos hábitos, porém, de modo geral, existem algumas características comuns:

- Estabeleça objetivos.
- Use desencadeadores.
- Dê passos pequenos.
- Encontre espíritos afins.
- Peça o apoio de amigos.
- Eleve o grau de complexidade com o tempo.
- Repita até que novos hábitos se instalem.
- Mantenha o caráter inovador.

Examinemos agora cada um desses passos para compreender melhor como as organizações projetaram experiências que utilizam mecânicas de jogo para liderar pessoas ao longo da jornada de transformação.

Estabeleça objetivos. O primeiro passo no sentido de alterar comportamentos é estabelecer um objetivo. Algo que engaje todos os participantes do jogo de maneira significativa. Por exemplo, se o objetivo for perder peso, então a meta poderá ser a redução de dez quilos. Manter-se focado no objetivo de longo prazo irá ajudá-lo a dar todos os pequenos passos ao longo do caminho. Tente imaginar-se vestindo aquelas calças *jeans* apertadas que já não entram há três anos e saberá com o que se parece o sucesso. Os usuários do Nike+ conseguem verificar pelo nível de NikeFuel, a quantidade de calorias queimadas, a frequência cardíaca e/ou distância percorrida. Esses objetivos podem ser compartilhados no Facebook e no Twitter, e as metas e o progresso aparecem toda vez que um usuário acessar o *site* do Nike+. A *HeartChase* encoraja participantes e grupos a estabelecerem metas de arrecadação de fundos. Uma solução gamificada é capaz de oferecer a sinalização na estrada rumo ao sucesso, registrando seu progresso rumo ao alcance de seus objetivos.

Use desencadeadores. Até que uma ação se torne parte da rotina, as pessoas precisam ser relembradas sobre as mudanças de comportamento que devem ser feitas. Soluções gamificadas podem funcionar como gatilhos para lembrar aos jogadores de ações específicas que precisam ser realizadas, e quando. Por exemplo, um aplicativo gamificado em seu *smartphone* consegue lembrá-lo de que está na hora de tomar sua medicação ou preencher um relatório, como observado no exemplo do Esquadrão da Dor. Soluções gamificadas estabelecem gatilhos que ajudam a alterar comportamentos. O Nike+ SportWatch pergunta se você está "pronto para a próxima corrida," caso não tenha acessado o *site* durante cinco dias. O Opower envia *e-mails* ou mensagens de texto para clientes durante períodos em que ocorrem picos de demanda, para encorajá-los a tomar medidas para poupar energia.

Dê passos pequenos. Com frequência, quando pensamos sobre fazer mudanças na vida, imaginamos grandes objetivos, tais como entrar em forma ou reduzir o consumo energético. E, às vezes, o tamanho do objetivo de longo prazo é tão assustador que nos impede de dar sequer o primeiro passo. Como disse certa vez o filósofo chinês Laozi, "Uma jornada de mil milhas começa com um único passo."

A chave para alcançar metas maiores é reparti-las em alvos menores e fáceis de administrar. A Opower sugere pequenas mudanças, com afirmações do tipo: "Lâmpadas florescentes compactas (LFCs) usam 75% menos energia e duram seis vezes mais tempo que as incandescentes. Lâmpadas de halogênio e LEDs também geram iluminação de alta qualidade sem desperdício, portanto, você pode escolher o tipo de lâmpada mais eficiente em sua casa."

Entrar em forma é difícil, mas um único passo concreto, como usar as escadas fixas ao invés das rolantes, é algo que pode ser administrado. Os usuários do Nike+ FuelBand, por exemplo, colecionarão mais pontos ao evitar escadas rolantes ou elevadores. Uma vez que os jogadores tenham dado esses primeiros passos, seguir rumo ao objetivo se torna mais fácil. Como disse Geoffrey, o veterano que desejava perder peso, sua primeira corrida não chegou a 1.700 m, mas ele perseverou e então cada corrida passou a se tornar mais fácil e longa.

Encontre espíritos afins. Implementar mudanças é um trabalho duro, mas se torna mais fácil se fizer parte de um grupo de pessoas que também estão tentando mudar. Isso funciona em vários níveis distintos. Mudar o ambiente é crucial para implementar alterações. Quando as pessoas ao seu redor estão fazendo algo diferente, torna-se mais fácil fazer o mesmo em seus hábitos. Faz parte da natureza humana querer se manter alinhado com as pessoas a seu lado. A Opower deixa que seus usuários saibam que estão em boa companhia por meio de mensagens como: "Poupar energia é fácil. Perguntamos a seus vizinhos e 77% dos residentes de Palo Alto, no Estado da Califórnia, calibram seu termostato de modo eficiente para economizar energia."

Cerque a si mesmo de pessoas que estejam implantando o mesmo tipo de transformação. Você também pode ganhar inspiração daqueles que estão muito à sua frente na jornada. Soluções gamificadas podem se relevar uma enorme ajuda porque não se limitam pelo ambiente físico. Não é preciso literalmente cercar-se de pessoas que estejam passando pelo mesmo tipo de mudança; é possível fazê-lo de modo virtual, com um grupo de pessoas usando a mesma solução gamificada. O Nike+ permite que você se conecte a outros usuários na plataforma, apresenta sua posição no placar e possibilita a você desafiar seus colegas a atingirem o objetivo ou a trabalhar juntos para alcançar metas do grupo.

Peça o apoio de amigos. Soluções gamificadas em geral são integradas às mídias sociais, o que amplia o alcance do seu grupo de suporte a seus amigos nas redes sociais. O Opower permite que os jogadores se conectem a seus amigos no Facebook para comparar o uso de energia, entrar em competições visando a redução de consumo, e compartilhar dicas de economia. Soluções gamificadas com frequência postam atualizações do seu progresso (com a sua permissão) a seus ciclos sociais. O Nike+ também pode se conectar ao Facebook para que seus amigos possam incentivá-lo em tempo real.[18]

Eleve o grau de complexidade com o tempo. A maioria concorda que mudanças precisam começar com passos simples, todavia, comportamentos mais complexos podem se desenvolver ao longo do tempo. O *BBVA*

Game, a solução gamificada de aprendizado do banco espanhol, encoraja os jogadores a começarem assistindo vídeos instrutivos; eles iniciam com algumas operações bem simples, como verificar o saldo bancário e efetuar transações básicas. Conforme os jogadores desenvolvem suas habilidades e sua autoconfiança, eles migram para operações mais complicadas, como transferências e pagamento de contas. A solução gamificada oferece o treinamento e as instruções para gradualmente direcionar as pessoas ao longo dos processos e colocá-las no caminho para mudanças comportamentais mais complexas.

Repita até que novos hábitos se instalem. Uma vez que o novo comportamento tenha sido aprendido, ele precisa ser repetido por um determinado período, até que um novo hábito se forme. Ao tentar reduzir seu consumo de energia, tirar equipamentos não utilizados da tomada ou diminuir o ar condicionado são ações que requerem certo esforço no início. Porém, com o tempo, pensar sobre a economia de energia se transforma em um hábito e as pessoas inconscientemente desligam as luzes ao saírem dos cômodos e usam a máquina de lavar fora dos horários de pico. Cientistas comportamentais podem até discordar em relação ao número de repetições necessárias para formar novos hábitos, mas todos concordam sobre a necessidade de repetir esse novo comportamento até que o hábito seja formado. Como disse Geoffrey, depois que começou a correr com o Nike+ com sensor para *iPod*, ele simplesmente não conseguia mais parar, e ainda está firme, mesmo depois de quatro anos.

Mantenha o caráter inovador. Em alguns casos, a mudança comportamental é um evento que acontece uma única vez (por exemplo, parar de fumar) e, depois que o novo hábito se instala, o objetivo é atingido e o jogador pode não conseguir parar de usar a solução gamificada. Em outros casos, há várias mudanças comportamentais que precisam ocorrer. Para manter o caráter inovador de suas soluções, a EpicMix continua a acrescentar novos atributos a cada temporada, a Nike+ constantemente inova e desafia os atletas. Nesses casos em que o uso da solução gamificada se prolonga, é crucial modificá-la para manter o interesse dos usuários. Portanto, mantenha o caráter inovador.

Algumas soluções demandam uma mudança no foco para responder às novas necessidades das empresas ou, como é frequentemente o caso, oferecer novas soluções para aprimorar o desempenho dos funcionários. Neste sentido, elas precisam se concentrar em diferentes aspectos do trabalho ao longo do tempo. Sven Gerjets, da DIRECTV reconhece que é preciso manter a solução inovadora: "Você tem de desenvolver o jogo, ou ele ficará sem graça." Uma vez que os funcionários tenham adotado um novo conjunto de hábitos, outras áreas poderão demandar atenção, portanto, a solução terá de evoluir com o tempo.

Mudanças são difíceis, e a gamificação pode ser usada para engajar e motivar pessoas a fazerem alterações comportamentais em suas vidas. Os exemplos ilustrados neste capítulo representam apenas algumas das aplicações mais comuns. Quase diariamente, converso com clientes que estão usando a gamificação para alterar comportamentos de maneiras novas e diferentes. Estamos apenas começando a explorar como a gamificação pode ser usada para ajudar as pessoas a fazerem mudanças positivas em suas vidas. Quando você considera as possibilidades, as oportunidades são grandes.

RESUMO

✓ Soluções gamificadas com **foco no cliente** representam bem mais que programas de fidelização turbinados. A gamificação pode ser usada para agregar valor ao seu produto, alterar os modelos de interação com os clientes e possibilitar a criação de redes de apoio. Utilizar a gamificação nos pontos de contato com os clientes exige um pensamento diferente a respeito daquilo que ele realmente valoriza.

✓ **Aplicações focadas nos funcionários** são a área de mais rápido crescimento em termos de soluções gamificadas, e as oportunidades são muitas, incluindo desde a mudança da cultura corporativa, até o direcionamento dos funcionários para a execução bem-sucedida de processos e a implementação de programas de transformação. Soluções gamificadas focadas nos funcionários estão alterando o modelo de engajamento e ainda valorizam a troca entre empregados e empregador.

✓ A gamificação se aplica particularmente bem ao **engajamento de comunidades de interesse** no processo de mudança comportamental. Como já verificamos, o ponto central da gamificação é o compartilhamento dos objetivos organizacionais, dos jogadores e das comunidades de interesse, assim como sua perfeita integração.

✓ A gamificação pode exercer um **papel importante na implementação** de mudanças ao definir um caminho transformador claro, cujas etapas sejam simples, e o encorajamento constante. A gamificação usa o estabelecimento de objetivos, desencadeadores e pequenos passos para ajudar as pessoas a mudarem seus comportamentos. Os jogadores podem encontrar espíritos afins e aliciar o apoio de amigos com o compartilhamento social. A gamificação ajuda as pessoas a repetirem comportamentos até que estes se tornem hábitos, mantém o processo inovador e desenvolve mudanças ao longo do tempo.

Capítulo 4
Usando a gamificação para desenvolver habilidades

O aprendizado ocorre todos os dias e em todos os lugares. Os seres humanos são preparados para classificar experiências e assimilar conhecimentos. Quase sem nenhum esforço somos capazes de aprender uma nova receita ou memorizar o horário dos ônibus. Isso acontece porque a motivação está intimamente associada à habilidade e ao conhecimento alcançados. O ato de aprender a receita resulta na satisfação de uma refeição deliciosa; aprender e memorizar o novo horário do ônibus pode reduzir nosso tempo de espera, portanto, há uma linha de visão clara entre **motivação** e **aprendizado**.

Todavia, o aprendizado é às vezes mais difícil, em especial quando a gratificação pelo alcance do objetivo chega muito atrasada... Passar anos na escola e na faculdade se preparando para um carreira é um processo difícil e lento. O treinamento corporativo é, com frequência, entediante, difícil e nem sempre é algo que esteja conectado aos objetivos do funcionário. Independentemente de se tratar de educação formal, treinamento corporativo ou aprendizado informal, a gamificação oferece um caminho para adicionar motivação às atividades de aprendizagem.

INSPIRANDO O APRENDIZADO NA ACADEMIA KHAN

Tanis, uma jovem brilhante de 25 anos, sempre teve dificuldades na escola, e seus professores pouco fizeram para fortalecer sua autoestima. Na verdade, Tanis sempre foi muito inteligente e, inclusive, se destacava em algumas áreas, tais como o desenvolvimento de programas de computador. Porém, em sua adolescência ela fora diagnosticada como portadora de depressão aguda. Como resultado de sua doença, ela tinha medo de crianças de sua própria idade e pavor dos professores. Com o tempo, ela acabou se desinteressando completamente pela escola, embora tenha prosseguido com os estudos até terminar o **ensino médio**.

No início, Tanis queria ir para a faculdade, porém, uma vez que o convívio com os colegas e professores ainda a deixava assustada, ela também perdeu interesse pelo **ensino superior**. Embora durante os oito anos de casamento seu marido tenha lhe dado todo o apoio e feito tudo para que ela se sentisse bem, sua doença piorou. No final, ela achava difícil até sair de casa, onde permanecia a maior parte do tempo.

Em junho de 2012, Tanis descobriu a Khan Academy. A missão da Khan Academy é: **"Oferecer educação de qualidade, gratuita, a qualquer um e em qualquer lugar"**. Ela possui uma ampla gama de materiais e ferramentas educacionais, com lições apresentadas em vídeos via YouTube e exercícios automatizados que ajudam os alunos a praticarem suas recém-adquiridas habilidades, até que alcancem maestria nos tópicos.

Na Khan Academy, Tanis recebeu *feedback* positivo, o que a encorajou a continuar. Ninguém disse a ela que era estúpida. O *software* explorava suas habilidades no computador, ajudando-a a interessar-se por física e cálculo. Depois que aprendeu essas matérias ela passou a estudar a teoria das probabilidades. Com isso, ela encontrou um novo significado em sua vida e a esperança de um futuro melhor.

Na Khan Academy, cada resposta correta significa o ganho de **"pontos energéticos"**. Quando um aluno responde a uma série de problemas rapidamente ele é premiado com divisas especiais pela conquista. Quando ele soluciona uma série de 10 problemas de uma só vez, considera-se que a lição tenha sido aprendida e o aluno pode então passar para a próxima. Os estudantes podem verificar seu progresso à medida que completam as lições no mapa de conhecimento. As recompensas, tais como pontos e divisas, são as marcas da gamificação. Mas como esses elementos conseguem motivar as pessoas? A resposta simples é que **eles não o fazem**. O que fornece o incentivo **é o que eles significam**. No caso de Tanis, eles representam progresso rumo ao alcance de um objetivo aparentemente inalcançável e, em última análise, o triunfo de ser bem-sucedida.

Tanis está agora "viciada" em aprender, o que lhe deu um propósito na vida e a levou muito além da Khan Academy. Ela investiu seu tempo buscando uma carreira em que pudesse trabalhar no silêncio de sua casa, sem o estresse envolvido em lidar com outros colegas ou o público em geral. Ela estabeleceu como objetivo tornar-se uma analista de dados. A Khan Academy deu a Tanis muito mais que habilidades matemáticas. A empresa elevou sua autoestima e lhe deu a confiança de que precisava para escapar da prisão imposta por sua depressão. Em uma carta enviada a Salman Khan, fundador da academia, ela escreveu:

> "Obrigada Sal. Você me trouxe a esperança de ser capaz de seguir meu cérebro; você também me ofereceu um meio de não me sentir mais como um peso para o meu marido. Você me ajudou a aprender a sorrir e ter orgulho de mim mesma quando "consigo" algo sozinha. Palavras não podem expressar quão agradecida eu estou. Obrigada, Sal, muito obrigada. Sinto-me completa; agora sei que tenho valor próprio. **Nunca** me sentira assim antes. Foi assim que você salvou minha vida".[1]

Tanis é uma verdadeira batalhadora. Embora os desafios dela possam ser diferentes dos meus ou dos seus, bem lá no fundo, cada um de nós sonha em se tornar melhor, superar desafios e alcançar os próprios objetivos. A gamificação pode oferecer o estímulo necessário para darmos o primeiro passo, além da motivação e orientação necessárias para que alcancemos nossos objetivos.

CONHECIMENTO PARA AS MASSAS

Salman Khan não é professor, tampouco foi treinado na arte de educar. Seu interesse em ensinar começou quando ainda estudava no MIT (sigla em inglês do Instituto de Tecnologia de Massachusetts), onde ganhou o hábito de acompanhar alguns alunos em uma escola próxima. Poucos anos mais tarde ele começou a oferecer suporte a sua prima Nadia, na época aluna da sexta série. A garota se saía bem na escola, mas começou a ter dificuldades em matemática, então ele se ofereceu para atuar como tutor de sua prima, mesmo que à distância. Posteriormente ele passou a oferecer ajuda a outros membros da família e amigos e, com o tempo, fundou a Khan Academy, em 2008, ampliando o trabalho que fizera nos anos anteriores. Em 2010, a Khan Academy recebeu grande ajuda financeira do Google e também da Fundação Bill e Melinda Gates. Foi assim que a empresa começou a crescer. A Khan Academy está focada, prioritariamente, em ajudar alunos que estejam entre o jardim da infância até o ensino médio, oferecendo apoio por meio de vídeos educacionais curtos e exercícios que permitem que os alunos pratiquem as habilidades recém-adquiridas, até que tenham total domínio da matéria.

De acordo com Salman Khan, a gamificação é uma parte importante da abordagem adotada para engajar os alunos no sistema de aprendizado oferecido na Khan Academy. Na verdade, Sal esclareceu que as mecânicas de jogos precedem os tutoriais em vídeo. Pontos são coletados pelo aluno após a finalização de várias tarefas no *site*. As divisas são dadas como prêmios pela conclusão das lições, pela visualização de vídeos e realização de outras atividades. Estatísticas detalhadas sobre as tarefas e o progresso nas habilidades são oferecidas pelos usuários da própria academia. A equipe da Khan Academy analisa os ciclos de interação para assegurar que a mecânica de jogos ofereça motivação contínua aos alunos.

Atualmente a equipe da Khan Academy conta com 51 funcionários e continua a fazer seus vídeos com tutoriais (mais de cinco mil) e a preparar exercícios e problemas (mais de cem mil). O *site* da Khan Academy é visitado por cerca de dez milhões de pessoas ao mês, que, juntas, já assistiram mais de trezentos milhões de vídeos. Mais de 1,6 bilhão de exercícios já foram feitos e esses números continuam a crescer, em uma taxa de aproximadamente 4 milhões ao dia.[2]

Em um projeto piloto inicial, a Khan Academy trabalhou com alunos do 7º ano com dificuldades em matemática. Quando os alunos utilizavam os tutoriais da academia, havia uma mudança significativa no desempenho deles em todo o conjunto de habilidades. O estudo também demonstrou uma grande redução no número de alunos abaixo da média e, ao mesmo tempo, um aumento significativo no número de estudantes com níveis de proficiência e avançados.

Todavia, a Khan Academy é apenas um exemplo de organização que se mobiliza no sentido de desenvolver habilidades em uma ampla comunidade de interesse. A NASA fechou uma parceria com o Centro para Educação Tecnológica (CET) para motivar seus alunos a aprenderem áreas de ciências, tecnologia, engenharia e matemática, e já reconhece aprimoramentos com a oferta de divisas.[3] Por exemplo, os alunos no *site* do CET poderão ganhar um "NASA Lunar Rover Geometry Badge" (divisa de geometria Lunar Rover – veículo lunar – da NASA), por utilizarem a geometria para calcular a distância mais curta para que o **veículo lunar** complete suas tarefas.[4] Cada vez mais organizações tais como a P2P University e a Coursera estão oferecendo certificados a alunos para demonstrar suas realizações em termos de aprendizado. Eles funcionam como microcredenciais por meio das quais os empregadores visualizam as habilidades e o conhecimento adquirido pelo potencial funcionário, tanto nas atividades formais quanto informais.

A gamificação ajuda a promover o engajamento e motivar pessoas em diferentes ambientes de aprendizado. Existem tantas oportunidades de treinamento gamificadas como existem comunidades de interesse. Veja a seguir alguns exemplos:

> **Governo dos EUA.** O departamento de Saúde e Assistência Social desenvolveu uma solução gamificada para educar cuidadores em relação às melhores práticas em termos de privacidade e segurança.[5]
> **Duolingo.** Um *site* para o aprendizado gratuito de idiomas que usa a gamificação para envolver os usuários na aprendizagem de uma segunda língua.[6]
> **Wall Street Survivor (Sobrevivendo em Wall Street).** Essa solução gamificada ensina potenciais investidores como investir no mercado de ações sem arriscar dinheiro de verdade.[7]

ENERGIZANDO O TREINAMENTO DOS FUNCIONÁRIOS

A gamificação no aprendizado está indo além da educação formal e expandindo-se rapidamente para o ambiente de treinamento corporativo. Imran Sayeed, diretor de Infraestrutura Tecnológica na NTT Data também está usando a gamificação internamente.

Com mais de 64 mil empregados, muitos deles trabalhando em empresas clientes, a companhia enfrenta um grande desafio para identificar e treinar seus líderes. Seus consultores podem trabalhar nas dependências de um mesmo cliente por anos ou até décadas, e, com o tempo, acabam se sentindo desconectados da organização. Todavia, a NTT Data gostaria de ser capaz de reconhecer as habilidades, o aprendizado e as realizações de sua equipe e assegurar-lhes uma sólida ligação com a organização.

Em 2012, a NTT Data lançou o jogo *Ignite Leadership* (*Desperte a Liderança*), visando especificamente identificar líderes e desenvolver suas habilidades nessa área. A solução utiliza mecânica e *design* de jogos para envolver os funcionários em um processo de aprendizagem. No primeiro ano em que o programa foi colocado em prática, 700 empregados participaram. A solução começa com uma avaliação dos conhecimentos dos participantes em cinco áreas administrativas cruciais: **negociação, comunicação, administração de tempo, gestão de mudanças** e **solução de problemas**. A intenção é determinar os pontos fortes e fracos dos funcionários e adequar o aprendizado para que este se concentre em fortalecer áreas de desempenho inferior e, assim, desenvolva líderes bem preparados e equilibrados.

O treinamento tem como base um processo de aprendizado experimental no qual os alunos recebem perguntas fundamentadas em situações de vida real, assim como algumas opções de ações que poderiam tomar para solucioná-las. Não existe resposta incorreta, embora, entre as várias alternativas exista sempre a **melhor** e **mais adequada**. A equipe de *design* imaginou que a retenção de conhecimentos seria maior se o funcionário vivenciasse o cenário em vez de apenas ser questionado sobre o que faria. A analise do progresso dos empregados é compartilhada com o gerente da área e, desse modo, torna-se possível identificar aqueles que têm dificuldades em um tópico específico e oferecer suporte adicional.

O treinamento é estruturado no formato de uma jornada; os jogadores recebem pontos e divisas ao progredir e alcançar novos níveis. Um placar mostra aos participantes sua posição em comparação aos membros de seu time e o ranque geral. A solução também se conecta ao *Socially*, a plataforma de colaboração corporativa descrita anteriormente, que permite que as pessoas ofereçam ajuda em diferentes tópicos de liderança.

Uma abordagem colaborativa inovadora instituída pela NTT Data se chama *sharepoints* (compartilhamento de pontos). Nela os jogadores podem premiar colegas no jogo e reconhecer seus esforços e suas realizações no desenvolvimento da liderança.

Perguntas surpresa, outra característica única, aparecem aleatoriamente ao longo do jogo. Elas poder girar em torno de uma estratégia global, uma nova compra ou qualquer situação que pertença ao dia a dia de uma companhia. Gerentes seniores colocam essas questões, o que garante aos participantes uma conexão com indivíduos com os quais dificilmente teriam qualquer interação – essa prática acrescenta um elemento de serendipidade à solução, ou seja, a capacidade de o jogador fazer descobertas interessantes e inesperadas. De acordo com Naureen Meraj, diretora global de Gamificação e Envolvimento Estratégico: "Essa é uma maneira de os líderes seniores participarem dos jogos e investirem em potenciais líderes do futuro." Pelo fato de os jogadores nunca saberem quando os gerentes seniores irão fazer as perguntas, eles se sentem motivados a verificar o sistema regularmente.

O programa ainda está no estágio piloto, mas os resultados já se revelam positivos. Até o momento, 50 participantes do programa já assumiram papéis de liderança na companhia, um aumento de 50% em relação ao padrão vigente. Os jogadores também contribuíram com 220 ideias para aprimoramentos no setor de contas de clientes e 30 sugestões em projetos existentes, por meio do *Smart Idea Challenge (Desafio da Ideia Brilhante)*. Os membros do programa também estão recomendando a NTT Data nas redes associadas, o que resultou em um aumento de 30% nas indicações. Os participantes desse programa de liderança demonstram um aumento na satisfação dos funcionários e, ao mesmo tempo, uma queda nas taxas de atrito.

CATIVANDO O CLIENTE

A ampliação das habilidades do cliente por intermédio da gamificação é uma área que está apenas começando a ser explorada. Nos casos em que o sistema foi usado para aumentar o conhecimento dos clientes, os projetos se concentraram em situações em que eles teriam de superar uma curva de aprendizado bastante íngreme para serem capazes de utilizar um produto ou serviço de modo efetivo. O serviço de assistência social nos EUA serve de exemplo neste caso.

Pesquisas realizadas pela Universidade Carnegie Mellon revelam que somente 14% dos norte-americanos compreendem conceitos básicos de seguro-saúde, como franquia, copagamento, cosseguro, limite máximo de reembolso etc. A pesquisa se baseia em duas análises feitas com indivíduos entre 25 e 64 anos, que possuem seguros particulares.[9] E o problema só tende a piorar. Como a Lei do Seguro Acessível estimula os norte-americanos a adquirirem planos em grupo, milhões de indivíduos que nunca antes tiveram acesso a esse benefício terão de se esforçar para compreender as novas regras, aprender como selecionar um bom plano e descobrir como usá-los de maneira mais eficiente.

Os membros de planos de saúde estão precisando tomar decisões complicadas sobre o assunto e, até agora, a maior parte do material usado para educar essas pessoas está no formato de folhetos, livretos ou páginas da *Web*. Estes são usados no período de contratação durante algumas semanas e, com frequência, são disponibilizados materiais educacionais para ajudar os novos membros a compreendeem como usar esse benefício do modo mais eficaz. Todavia, muitos novos benefícios estão sendo introduzidos, e os novos usuários se veem obrigados a pagar mais pelo produto. Uma abordagem mais adequada para educar as pessoas em relação a planos de saúde se tornou necessária.

Organizações como a Capital BlueCross, em parceria com a Change Healthcare Corporation, estão oferecendo ajuda a seus membros ao disponibilizar esclarecimentos sobre esse tópico complexo. A *Healthcare University* é uma solução gamificada que oferece uma série de cursos destinados a ajudar os integrantes a compreenderem melhor o seguro e os benefícios, e a se tornarem usuários mais aptos a tomar decisões.[10]

A Change Healthcare lançou a *Healthcare University* em abril de 2013, uma ferramenta voltada para o público norte-americano. Nela são apresentadas cinco áreas de estudo e cinco cursos breves por assunto:

1. **Seguro de saúde** – Ensina os fundamentos e terminologia básica.
2. **Seleção de benefícios** – Cobre tópicos importantes, como as diferenças entre HMOs – Health Maintenance Organization (Organização de Manutenção da Saúde), um tipo de seguro que especifica que médicos e instituições poderão ser usados pelos clientes e PPOs – Preferred Provider Organization (Organização Provedora Preferencial), no qual a rede é escolhida pelo cliente.
3. **Maneiras de poupar** – Esse curso é voltado para tópicos como a substituição de medicamentos de marca por outros genéricos, a passagem de prescrições de 30 para 90 ou a seleção de centros ambulatoriais para a realização de exames de ressonância magnética.
4. **Cobrança** – Módulo que oferece informações sobre como defender seus direitos no que se refere a planos de saúde.
5. **O mercado de planos de saúde** – Uma introdução sobre as trocas que surgiram como parte da Lei de Acessibilidade a Cuidados Médicos.

Os cursos são apresentados na forma de vídeos de 2 min ou 3 min, que explicam os conceitos. As animações são seguidas de um *quiz* com 5 perguntas, que desbloqueia o jogo. Os jogadores ganham pontos por se registrarem e também por cada atividade realizada (assistir vídeos, responder o *quiz* ou jogar). Também há um placar onde os jogadores podem ver como estão se saindo em relação a outros membros. Quando o jogador completa todos os cursos sobre um assunto específico, ele ganha uma divisa. Esta dá ao jogador uma sensação de gratificação e progresso, à medida que ele se torna mais consciente em relação ao produto, e ainda o encoraja a continuar em sua jornada para se tornar um segurado mais bem-informado.

A Blue Cross e a Blue Shield, de Minnesota, lançaram um projeto piloto voltado para sua força de trabalho, com cerca de 3.500 funcionários. Ao longo de um período de seis semanas, o progresso é avaliado de perto para verificar se a solução gamificada de fato envolveu os empregados nos tópicos apresentados. O resultado foi de que quase 40% dos colaboradores se registraram para o treinamento. No lançamento inicial, os jogadores só tinham acesso a dois tópicos, ou dez cursos. Durante um período de seis semanas, em média, os jogadores completaram oito deles. Observando a atividade, percebeu-se um elevado nível de envolvimento. No geral, cada usuário completou 27 ações do produto durante o período piloto. Os funcionários assistiram mais de nove mil vídeos, realizaram cerca de 7.500 *quizzes* e disputaram quase vinte mil jogos.

Um estudo para avaliar a satisfação dos usuários foi realizado no final desse programa piloto, e, dos 1.400 funcionários que haviam se registrado, 400 atribuíram conceito máximo (A) como *feedback* para a iniciativa. Um resultado inesperado foram as notas altas nos *quizzes* – a média foi de 98%. Como disse Clayton Nicholas, vice-presidente de estratégia e *marketing* da Change Healthcare: "Uma vez que os jogadores viam seus nomes no placar e compreendiam que estavam sendo classificados em comparação aos colegas, eles realmente assistiam aos vídeos educativos duas ou três vezes, para conseguirem bons resultados nos *quizzes* e, assim, ganhar mais pontos."[11] Isso reforça o valor da educação.

A gamificação também está sendo usada em materiais de treinamento para produtos que exigem que o cliente ganhe habilidades básicas antes de terem condições de usá-los efetivamente. Um bom exemplo é a Autodesk, que fornece *softwares* complexos para o uso nas áreas de *design* em 3D, engenharia e entretenimento. Um dos desafios que a empresa enfrenta é a grande diferença no grau de conhecimento que os usuários comuns precisam superar para de fato começarem a utilizar os programas. A Autodesk desenvolveu uma solução gamificada para fazer com que usuários inexperientes de seu produto 3ds Max superassem rapidamente suas dificuldades. Ao longo de uma série de tutoriais, os participantes não demoram muito para compreender o poder da ferramenta. A Autodesk conseguiu um aumento de 10% em seus *downloads* e de 40% no uso experimental.[12]

GAMIFICANDO O DESENVOLVIMENTO DE HABILIDADES

Gamificação e aprendizado são duas coisas que se encaixam naturalmente. Como aprendemos com o livro *Motivação 3.0*, de Dan Pink, o domínio de um assunto é um forte motivador. Todos nós temos um desejo inato de melhorar. As pessoas são, com frequência, inspiradas a trabalhar mais para dominar uma determinada habilidade ou ampliar seus conhecimentos. O desafio não é, portanto, fazer com que as pessoas queiram aprender e crescer – elas já o fazem naturalmente –, e sim ajudá-las a encontrar o caminho para o sucesso. A solução está em quebrar o processo de aprendizado em pequenas etapas, de modo que cada passo amplie as habilidades do jogador mas se mantenha dentro de sua capacidade de assimilação. Somente assim ela conseguirá completar a jornada e alcançar seus objetivos. Embora existam inúmeras variações no modo como a gamificação é aplicada ao processo de aprendizagem, os passos comumente aplicados incluem:

- Definir o objetivo.
- Dividir o processo em etapas.
- Verificar interdependências.
- Criar ciclos de engajamento entre teoria e prática.
- Recrutar mentores e colaboradores.
- Celebrar o sucesso.

Definir o objetivo. Ralph Waldo Emerson disse certa vez: "A vida é uma jornada, não um destino." Todavia, esse percurso está repleto de pontos de parada. Podemos até desconhecer o destino, mas temos de saber qual será a próxima pausa. Estabelecer sua meta para cada etapa do trajeto garantirá a você clareza e propósito ao longo de todo o caminho. Como vimos no exemplo da NASA, os jogadores recebem um objetivo: ganhar a divisa NASA Lunar Rover utilizando a geometria para calcular a menor distância para o veículo lunar completar três tarefas. Ao aprender uma nova habilidade ou ganhar conhecimento, possuir um objetivo claro e bem-definido é crucial para o sucesso.

Dividir o processo em etapas. A gamificação leva os jogadores em uma jornada, equilibrando as habilidades que estão desenvolvendo com o nível de desafio apresentado pelo jogo. Você pode pensar nisso como um roteiro, onde as partes relevantes da história são acrescentadas ao longo do processo; à medida que a complexidade do material aumenta, o jogador constrói seu conhecimento em cima do que foi aprendido anteriormente. Os aprendizes no programa *Ignite Leadership* da NTT Data partem em uma jornada rumo ao desenvolvimento de habilidades de liderança, em especial nas áreas em que apresentam pontos fracos. O progresso é recompensado com pontos, por meio da passagem de níveis e do oferecimento de divisas.

Verificar interdependências. Aprender é uma atividade progressiva; conhecimentos e habilidades são construídos sobre aquilo que já foi aprendido anteriormente. Devemos, portanto, ter certeza de que não existam lacunas no aprendizado que possam atrapalhar o desempenho dos alunos no material subsequente. Em seu livro *Um Mundo, Uma Escola*, Salmam Khan se refere a esses hiatos como: "Aprendizado ao estilo queijo suíço." Ele usa o cálculo como exemplo de "tópico mais comum em que muitos alunos fracassam. Isso não ocorre pelo fato de ser uma matéria complexa, mas por representar uma síntese de tudo o que foi ensinado anteriormente." Compreender esses conceitos básicos serve como uma sólida fundação para o aprendizado de questões mais avançadas. A Khan Academy usa o mapa do conhecimento para identificar tópicos e suas interdependências.

Criar ciclos de engajamento entre teoria e prática. A gamificação utiliza ciclos de engajamento que oferecem aos jogadores instruções, desafios e *feedbacks* em relação a suas tentativas de completar cada etapa. Por exemplo, um vídeo é apresentado aos alunos da Khan Academy para explicar o tópico. Trata-se de uma minipalestra sobre divisão básica. Os aprendizes deparam então com um problema de divisão. O jogador tenta solucioná-lo e recebe *feedback* imediato – se a resposta estiver incorreta, o botão com a palavra "não" treme na tela. Porém, se a resposta estiver correta, uma carinha sorridente aparece e o aluno recebe alguns "pontos." Ou seja, a gamificação quebra o processo em pequenos passos que podem ser facilmente alcançados, e oferece *feedback* e encorajamento constantes ao longo do processo.

A NTT Data adora uma abordagem diferente. Ela faz uma pergunta aos aprendizes e oferece a eles respostas no formato de múltipla escolha. Não existe uma resposta que seja a correta, mas algumas opções são melhores que outras. Em vez de ganharem conhecimento por meio de palestras teóricas, os alunos o adquirem pela experiência e nos debates com colegas e mentores. Essa abordagem visa engajar alunos em um processo de aprendizado prático e experiencial.

O aprendizado experiencial se contrasta com outras formas conceituais. Há vários debates sobre que tipo de abordagem seria mais adequada para cada aluno e também para cada área a ser aprendida. Não faz parte do escopo deste livro adentrar essa discussão, portanto, direi apenas que existem muitas teorias distintas sobre o aprendizado que podem ser implementadas em uma solução gamificada. Todavia, o método mais comumente aplicado é o da abordagem de aprendizagem conceitual descrita nos exemplos da Khan Academy, do BBVA Game e da Healthcare University. Já os modelos da NTT Data e Duolingo, aplicam com sucesso uma visão experiencial. A Wall Street Survivors combina dois sistemas diferentes: experiencial e conceitual.

Recrutar mentores e colaboradores. O aprendizado ocorre com mais facilidade em um ambiente colaborativo, e a maioria das soluções gamificadas encoraja os aprendizes a desenvolverem um rede de colegas ou contar com a ajuda de um tutor para se envolverem mais e aprimorarem o processo de aprendizagem. A solução encontrada pela NTT Data encoraja a cooperação entre colegas ao conectá-los à plataforma de colaboração social corporativa, e usa *sharepoints* para construir laços entre os participantes.

Nos modelos educacionais tradicionais, o professor faz a exposição dos tópicos na sala e solicita que os alunos façam lições de casa para que possam praticar o que foi aprendido. O desafio nesse caso é o fato de haver pouco tempo para que os professores ofereçam ajuda individualizada aos alunos que apresentam mais dificuldades em um determinado tópico. A Khan Academy usa o modelo inverso, no qual as palestras e a prática fazem parte da lição de casa e durante o tempo de aula o professor se dedica a ajudar os alunos a superarem os desafios encontrados nessas tarefas.

A Khan Academy também permite que professores, pais, tutores e colegas se transformem em *coaches*, e sejam capazes de monitorar o progresso dos alunos, verificar com quais divisas já foram premiados e encorajar esses estudantes a continuar aprendendo.

Celebrar o sucesso. O aprendizado é um processo para toda a vida, porém, importantes marcos surgem regularmente. Reconhecer as realizações é importante para manter o envolvimento. Na gamificação, esses feitos são observados de várias maneiras, sendo que uma das mais comuns é a **entrega de divisas**. Estas são usadas em todos os tipos de soluções gamificadas (o que inclui mudanças comportamentais e estímulos à inovação), mas exercem um papel especial e significativo no desenvolvimento de habilidades, pois representam microcredenciais que podem ser usadas para certificar a capacitação do aluno.

Um dos desafios das divisas no aprendizado é o fato de que, com frequência, elas somente são reconhecidas pela organização que as entrega, e, portanto, difíceis de serem verificadas por outras empresas. Porém, isso está começando a mudar. O Mozilla e a MacArthur Foundation lançaram o projeto Open Badges (Divisas Abertas), que oferece a infraestrutura técnica necessária para dar sustentação aos processos de outorga, recebimento e apresentação das divisas. Neste caso, os aprendizes serão capazes de apresentar seus feitos que, a partir daí, poderão ser reconhecidos dentro e fora da sala de aula. As divisas são coletadas em uma "mochila" que permite que os alunos compartilhem seus feitos em plataformas digitais, como as redes sociais. A infraestrutura de Divisas Patentes oferece aos interessados, como empregadores e educadores, a oportunidade de clicar na divisa e verificar quem a outorgou e quais foram os critérios utilizados.

A gamificação já se provou ser um método bastante efetivo e eficiente de engajar pessoas em atividades de aprendizado. Isso se tornará ainda mais importante à medida que mais exercícios forem oferecidos via digital. A gamificação é apenas uma das várias forças que estão reformulando o modo como aprendemos. Treinamento e educação são primordiais para que ocorram **mudanças transformadoras.**

RESUMO

✓ A gamificação **motiva** as pessoas durante o longo processo de aprendizado e expande o ambiente de sala de aula para oferecer oportunidades de aprendizagem a alunos dispersos geograficamente e com habilidades variadas.

- ✓ As soluções gamificadas **quebram** o processo de aprendizado **em etapas,** de modo que cada uma delas amplie as habilidades dos jogadores, mantendo sempre o grau de dificuldade ao seu alcance.
- ✓ O **aprendizado** se torna mais **eficiente** em um ambiente colaborativo, e a maioria das soluções gamificadas encoraja os aprendizes a desenvolverem uma rede de colegas ou contar com a ajuda de um tutor para fortalecer o processo.
- ✓ **Aprender** é uma atividade **progressiva** em que habilidades e conhecimentos são construídos sobre aquilo que foi aprendido anteriormente. Soluções gamificadas não podem deixam lacunas no aprendizado que venham a prejudicar os alunos e impedi-los de prosseguir com o material subsequente.
- ✓ Soluções gamificadas são capazes de implementar **abordagens de aprendizado conceituais** e/ou **experienciais,** ou uma combinação de ambas.
- ✓ O uso de **divisas** ou outro tipo de recompensa possui um **significado especial** no desenvolvimento de habilidades, uma vez que elas representam microcredenciais que podem ser usadas para certificar a capacitação do indivíduo que as recebe.

Capítulo 5
Utilizando a gamificação para estimular a inovação

Os dias em que a inovação cabia apenas a um pequeno grupo de mentes brilhantes da organização ficaram no passado. Em busca de novas ideias, as empresas têm migrado para um modelo de *crowdsourcing*. Utilizar a sabedoria do povo traz muitas perspectivas para o desafio da inovação, e cada uma delas representa um ponto de vista único e exclusivo de um problema. Mas como será que uma multidão de pessoas é capaz de inovar?

Deixados com seus próprios mecanismos, as pessoas irão otimizar suas condições dentro das limitações impostas pelo ambiente. Tal aprimoramento é constante e pode ser visto no modo como as pessoas realizam suas tarefas no trabalho, selecionam investimentos na bolsa de valores e/ou viajam de casa para o trabalho diariamente, isso para mencionar apenas alguns exemplos. Os cientistas chamam a esse fenômeno de **"emergente"**, o que representa o oposto do planejamento centralizado dos grandes cérebros. Trata-se de ações coletivas, limitadas por regras, realizadas por um grande número de indivíduos, que se auto-organizam em sistemas completos e adaptativos, obtendo com frequência resultados radicalmente distintos. Veja como exemplo de sistema emergente o mercado de ações. O mercado sobe ou desce por conta da ação coletiva de vários investidores individuais que operam dentro de regras preestabelecidas. A mão invisível descrita por Adam Smith é, de fato, uma figura de linguagem para ações coletivas de várias pessoas, e representa um sistema emergente. Os mercados de ações usam a sabedoria da multidão para a alocação eficiente de capitais.

A gamificação pode oferecer a estrutura para envolver, motivar e se concentrar nas atividades inovadoras de um público específico, seja ele composto por funcionários, clientes ou comunidades de interesse. Soluções inovadoras de gamificação oferecem aos usuários o espaço necessário e criam objetivos, regras, recompensas e outros aspectos do modelo de envolvimento do jogador, entretanto, elas não definem o resultado – os participantes são livres para inovar dentro do espaço fornecido.

GERAÇÃO DE IDEIAS NO DWP

O departamento de Trabalho e Seguridade Pessoal do Reino Unido (DWP, sigla em inglês) é responsável pelo bem-estar e política de aposentadorias e pensões, além de um órgão fundamental para avaliar a pobreza infantil. Trata-se do maior departamento de serviço público do Reino Unido (RU), e, com mais de cem mil funcionários, o DWP conta com enorme quantidade de recursos humanos para fornecer-lhe sugestões e ideias inovadoras. O desafio tem sido reunir toda essa criatividade e transformar as ideias em um conjunto significativo de potenciais projetos que possam ser implantados no RU. De acordo com David Cotterill, diretor de inovação: "As pessoas queriam ajudar a melhorar a situação, e tudo que tivemos de fazer foi criar uma maneira estruturada para que elas o fizessem, enquanto nós oferecíamos a elas o incentivo necessário. O aspecto de jogo está justamente no incentivo."

O DWP criou um mercado para ideias denominado *Idea Street* (*Rua de Ideias*), um ambiente em que os funcionários podem colaborar e, ao mesmo tempo, ganhar o reconhecimento por sua participação na inovação.[1] Lançado em 2008 e construído sobre a plataforma de inovação da Spigit, o DWP incorporou mecânicas de jogos ao sistema *Idea Street*, com a intenção de criar um ambiente que os funcionários considerassem envolvente.

Ao aplicar mecânicas de jogos à plataforma de inovação, o DWP desenvolveu um mercado de ideias que permitiu aos funcionários participarem do processo, recompensando-os por utilizarem um sistema de pontuação. Os pontos, denominados DWPeas, são outorgados pela geração de ideias e também por contribuições ao longo de todos os estágios de desenvolvimento. Os funcionários podem oferecer suas ideias, desenvolver as sugestões oferecidas por colegas e, inclusive, usar seus DWPeas para investir naquelas que eles considerem mais promissoras. Quando uma ideia é selecionada para implantação, os "acionistas" são recompensados com mais DWPeas. Em contrapartida, esses mesmos acionistas podem perder DWPeas por ideias que não sejam selecionadas. O resultado é um mercado ativo de ideias no qual os funcionários se emprenham em participar. O mercado até inclui um *buzz index* (índice de ideias mais comentadas), que coloca em evidência as sugestões mais discutidas. Por exemplo, se uma proposta apresentada por um funcionário causa um aumento nesse índice, outros colaboradores serão atraídos a fazer comentários ou contribuir para o desenvolvimento dessa sugestão. Equipes com ideias promissoras com frequência recrutam gerentes que tenham autoridade orçamentária para participar do processo e ajudá-las a conseguir investimentos. Nos casos em que ninguém da equipe consegue levar a ideia ao próximo nível hierárquico, a equipe encaminha a proposta para o gerente adequado, de modo que esta possa ser avaliada.

Os funcionários se sentem bastante envolvidos com o *Idea Street*. A implantação do sistema atraiu inicialmente 4.500 usuários e gerou cerca de 1.400 ideias, das quais 63 foram implementadas no período de dezoito meses. Os empregados gostam de estar por dentro das propostas mais promissoras, o que estimula a participação contínua. O mercado de ideias oferece ainda um placar para avaliar as sugestões mais interessantes, uma vez que os jogadores investem somente naquelas em que acreditam para implementação. A mecânica de jogos foi empregada de modo efetivo para transformar o *Idea Street* em uma experiência envolvente centrada no jogador.

O *Idea Street* ofereceu à gerência da DWP um portfólio com categoria de ideias bem desenvolvidas que poderiam ser selecionadas para implantação. Nos primeiros dezoito meses, a DWP investiu em projetos com retornos que alcançaram o total de £ 21 milhões (quase R$ 80 milhões) em benefícios. A motivação dos empregados é o aumento do reconhecimento, além da sensação de que suas contribuições estão fazendo a diferença na vida das pessoas. Em um dos projetos, um funcionário da central de atendimento da DWP apresentou e desenvolveu uma ideia para a criação de material de *marketing* interno usando uma rede de funcionários talentosos que já estavam associados ao projeto. A sugestão foi adotada e o empregado que a criou e divulgou durante o processo foi convidado a trabalhar em um projeto temporário no escritório do secretário permanente do DWP, ganhando assim importantes *insights* sobre como as coisas funcionam no alto escalão.

Em abril de 2012, a DWP voltou a desenvolver o *Idea Street*, relançando a inovadora plataforma de gerenciamento. No processo atualizado de geração de ideias, os funcionários que são apoiados pela comunidade se movem para cima no placar; as sugestões mais bem colocadas são passadas para um grupo de mentores que trabalha com as equipes no sentido de desenvolvê-las ainda mais. Esse relançamento foi sustentado por um amplo esforço do *marketing* e da administração sênior, e os resultados são impressionantes. Nos oito meses que se seguiram ao relançamento, 57 mil funcionários acessaram a comunidade e submeteram um total de 5.700 sugestões, das quais mais de 500 foram bem-sucedidas e 1.700 estão em fase de avaliação.[2]

DESENVOLVIMENTO DE PRODUTOS NA QUIRKY

As pessoas são naturalmente criativas e se sentem ávidas em expressar-se. Neste sentido, a inovação pode ir além dos funcionários e atingir toda uma comunidade de interesse. A Quirky, uma empresa de desenvolvimento de produtos via *crowdsourcing*, envolve uma comunidade de inventores e *designers* que submetem, desenvolvem e refinam ideias para novos produtos voltados para o consumidor. Usando **a inteligência coletiva** de mais de 600 mil membros, a comunidade oferece as ideias e a Quirky se responsabiliza pela infraestrutura e pelo apoio necessários aos processos de engenharia, produção e distribuição do(s) produto(s). Desde que começou em 2009, a Quirky já lançou mais de 400 produtos.[3]

Do *broom groomer* (limpador de vassouras), uma pá de lixo especial que prende os tufos de pó da vassoura, até o *props*(suporte para fios de fone de ouvido) e o *citrus spray head* (pulverizador de líquidos), que é acoplado diretamente ao limão e permite borrifar o suco a partir da própria fruta – todos os produtos são *quirky* (peculiares). Os inventores surgem de todas as classes sociais e faixas etárias, e as únicas qualificações de que precisam são: 1º) ter boas ideias e 2º) estar dispostos a colaborar para transformá-las em um produto real.

A Quirky usa a "influência" como sistema de pontuação. Esta se traduz diretamente em parte dos *royalties* dos produtos que são lançados. Membros da comunidade ganham ingerência por sua contribuição no desenvolvimento do produto. A maior porção de poder é dado aos inventores que submeteram as ideias vencedoras, porém, fatias menores também são atribuídas aos participantes que votaram nas melhores sugestões, colaboraram no desenvolvimento do produto, sugeriram e votaram nos nomes que seriam dados aos produtos ou jogaram o *pricing game* (jogo de precificação). Uma vez que uma ideia tenha sido selecionada para lançamento, ela é marcada com um tarja onde está escrito **"Em produção"**. Cada proposta conta como milhares de colaboradores que formatam o produto a partir da ideia original e o lançam. A Quirky é um ótimo exemplo de jogo emergente que usa o talento criativo de uma grande comunidade em um jogo de mercado cuja influência é a moeda corrente.

O processo é viciante. Na época em que estava escrevendo este livro, acessei a comunidade Quirky e naveguei um pouco para ver como ela funcionava (na Gartner chamamos isso de "pesquisa"). Embora não tivesse nenhuma grande ideia de produto para oferecer naquele momento, pude observar algumas sugestões interessantes em desenvolvimento. Uma delas era a "mochila anti-furto;" na ocasião a empresa estava avaliando nomes para o produto. Então, fui até uma lista de nomes que haviam sido previamente selecionados e escolhi meu favorito, o que me permitiu influir de algum modo. Indo um passo além, eu mesmo criei e ofereci um nome – o "Saf-T-Sac"* – para concorrer com as outras 1.400 sugestões que já apareciam no *site*. Observar minha ideia subindo e descendo na classificação geral foi estimulante, e acabei ficando viciado naquilo.

---

* Saf+T = Safety (segurança) e Sac = mochila. Possíveis traduções seriam "mochila segura" ou "mochila à prova de furtos". (N.T.)

O BARCLAYCARD RING GAMIFICA COCRIAÇÕES DOS CLIENTES

A Gartner define a **cocriação** por parte de clientes como uma iniciativa colaborativa entre empresas e consumidores, permitindo o *design* conjunto de produtos e serviços. Tais iniciativas incluem a criação de produtos, serviços e experiências – as empresas ampliam seus resultados ao utilizar o capital intelectual de seus clientes. No Hype Cycle para Digital Banking da Gartner, em 2013, a cocriação pelos clientes funciona como um "**gatilho tecnológico**". Em outras palavras, o ciclo de expectativas está na vanguarda absoluta.

Em abril de 2012, o Barclaycard combinou a cocriação por clientes com a gamificação e lançou um tipo de cartão de crédito totalmente novo chamado Barclaycard Ring. Ele respondia a três forças conflitantes: 1ª) o nível de confiança nos bancos norte-americanos estava muito baixo; 2ª) as agências reguladoras dos bancos exigiam simplicidade, transparência e justiça; e 3ª) a explosão das mídias sociais criava uma oportunidade para envolver os clientes. Respondendo a esses três fatores, o banco decidiu usar a sabedoria popular de uma nova maneira. O resultado foi um cartão de crédito simples, sem recompensas ou taxas ocultas. Em vez disso, ele tem uma estrutura simples e uma taxa baixa de 8%. Comparada à média das taxas cobradas nos EUA, de 15%, a ideia tinha tudo para dar certo.

Uma das grandes diferenças era a transparência do produto. O produto Barclaycard Ring opera como um centro de lucros separado. Esses lucros são gerados pela comunidade e compartilhados por ela, que vota para definir o que será feito com o dinheiro: 1º) devolução aos membros da comunidade na forma de declaração de crédito; 2º) agregação ao saldo já existente; 3º) contribuição beneficente; e 4º) uma combinação de ações. O Barclaycard compartilha mensalmente com a comunidade seus balanços financeiros, oferecendo ainda um relatório anual detalhado sobre o cartão Ring, discriminando receitas, despesas e lucros. Os membros podem ver claramente onde os lucros estão sendo investidos: *marketing*, acionistas, impostos e também uma parte de retribuição que retorna aos membros do cartão e para instituições de caridade por eles selecionadas. Como disse certa vez Paul Wilmore, diretor-administrativo dos Mercados Consumidores da Barclaycard EUA: "É um nível de transparência que nenhum outro banco quis ou foi capaz de mostrar aos portadores de seus cartões de crédito."[4] Os membros da comunidade têm a responsabilidade de fazer com que o produto funcione da melhor maneira possível, o que altera o modo como eles pensam a respeito de cartões de crédito, assim como seu comportamento.

Por exemplo, em outubro de 2012, a Barclaycard perguntou à comunidade Ring se a empresa deveria alterar sua política em relação à taxa para pagamentos atrasados. A política vigente permitia que os membros atrasassem até três dias antes de impor uma penalidade pelo atraso. A Barclaycard propôs eliminar o período de anistia mensal e, ao mesmo tempo, permitir um único pagamento atrasado por ano. A partir de suas análises, a Barclaycard estimava que isso geraria um aumento de 15% na receita por pagamento atrasado, o que, por sua vez, resultaria em lucros maiores para a comunidade. A grande maioria dos membros votou pela adoção da nova política. Eles estavam dispostos a punir os membros que habitualmente pagavam com atraso e gerar mais lucros para a comunidade. Tal comportamento pode parecer contraintuitivo, todavia, pelo fato de a maioria pagar as contas em dia, essas pessoas não seriam afetadas negativamente. Quando os clientes foram solicitados a compartilhar o processo de tomada de decisão e os benefícios dele oriundos, eles se comportaram mais como acionistas que clientes.

A gamificação é usada na Barclaycard para motivar membros a participarem no desenvolvimento da comunidade. Membros ganham *status* pela participação, ao sugerirem e votarem em ideias que visam aprimorar o produto. Existem cinco categorias: **bronze, prata, ouro, platina** e **paládio**, e o *status* de cada um é visível para toda a comunidade, o que dá peso às suas contribuições.

Os membros também recebem divisas por determinadas ações, como não utilizar papel, contribuir com a comunidade ou recrutar novos membros. Um anel multicolorido funciona como uma barra de progresso e mostra o nível de envolvimento do membro com a comunidade e o produto. A Barclaycard também criou uma área somente acessada por convidados especialistas, para os quais são liberados em primeira mão a novas características do produto e que atuam juntos, como um conselho diretivo, oferecendo *feedback* sobre a introdução de novos itens para a comunidade. O Barclaycard Ring possui aproximadamente 20 mil membros: cerca de 50% são considerados "**observadores ativos**", enquanto 10% contribuem efetivamente com a comunidade.

COMO A GAMIFICAÇÃO ESTIMULA A INOVAÇÃO

Soluções de inovação gamificadas tendem a ter como base a competição. Elas diferem, portanto, daquelas projetadas para motivar mudanças comportamentais e/ou o desenvolvimento de habilidades, que, em geral, são colaborativas. A razão é simples: quando empresas buscam ideias inovadoras, elas, com frequência, precisam identificar um pequeno número de boas sugestões e, neste caso, uma estrutura competitiva funciona bem.

A gamificação pode usar o seguinte conjunto de abordagens para soluções inovadoras:

- Aliciamento de jogadores.
- Solicitação de ideias.
- Seleção de ideias.
- Desenvolvimento de ideias.
- Lançamento.

Aliciamento de jogadores. Para usar a sabedoria popular dos participantes na inovação, as empresas primeiramente precisam envolver essas pessoas, motivá-las e mantê-las focadas. Uma massa crítica de jogadores é necessária para que soluções inovadoras oriundas de *crowdsourcing* sejam bem-sucedidas, e a construção da base de jogadores irá demandar algum esforço. Por exemplo, o DWP descobriu que precisaria atrair 5% da base de funcionários para o *Idea Street*, pois só assim atingiriam massa crítica. Para isso, uma campanha de *marketing* foi lançada com o intuito de encorajar os jogadores a aderirem ao projeto. Depois que a massa crítica foi atingida, a solução decolou, uma vez que os próprios jogadores conseguiram atrair novos integrantes e a solução se tornou viral. Estimular os jogadores a aderir é particularmente importante em soluções voltadas para os funcionários, pois, às vezes, os empregados precisam superar a crença de que participar em processos de inovação não faz parte de seu trabalho. A administração deve oferecer um suporte robusto para incentivar as pessoas a participarem.

Uma vez que os jogadores acessam a plataforma inovadora gamificada, descobrimos que os objetivos das pessoas se alinham naturalmente à participação no processo de inovação, e de maneiras diferentes. Fazer com que as pessoas façam parte da mudança dá a elas um senso de autonomia. Colaboradores naturalmente querem poder dizer o que pensam sobre o modo como a organização irá se desenvolver.

O mesmo se aplica em soluções voltadas para clientes e comunidades. Os membros do Barclaycard Ring são motivados a participar da comunidade para estimular mudanças no produto. Afinal, eles são os mais interessados e serão os mais afetados pelos resultados obtidos. Como vimos no exemplo da Quirky, o processo de levar uma invenção ao mercado é complexo e a colaboração nos projetos dá aos membros uma sensação de que fazem parte de algo maior que si mesmos.

Solicitação de ideias. A geração de ideias é um processo criativo, e o público-alvo deve ser encorajado a submeter ideias boas e ousadas para apreciação. Na maioria das soluções inovadoras gamificadas o oferecimento de ideias é recompensado com um grande número de pontos, ações e/ou mais influência, qualquer que seja o elemento em uso. Como vimos no exemplo da Quirky, a maior parte da influência é dada ao inventor que apresenta uma boa ideia em termos de produto. O mesmo ocorre nos casos do DWP e do *Idea Street*.

Jogadores que submetem suas ideias exercem um papel especial nas soluções inovadoras. Eles são normalmente vistos como **"proprietários"** da ideia, e são também os que dão apoio e incentivam o desenvolvimento dessa sugestão. Ao solicitar ideias, as empresas precisam pensar no estabelecimento de limites. Em geral é bom possuir um espaço para inovação amplo e público, com alguns limites estabelecidos para as ideias. A Quirky, por exemplo, está em busca de invenções na área de produtos para clientes, enquanto o DWP procura ideias que se apliquem a seus processos e portfólio de serviços. A Barclaycard Ring, em contrapartida, está atrás de sugestões que se adéquem a um produto específico – seu **cartão de crédito**.

Seleção de ideias. O poder da multidão começa a aparecer na hora da seleção de ideias. Nessa fase, as sugestões são avaliadas e votadas pelos membros da comunidade para assegurar que as melhores cheguem ao topo da lista. Já nos exemplos da Quirky e da Barclaycard Ring, os membros são solicitados a votar em novas ideias. Na abordagem do DWP os funcionários podem investir nas propostas que considerarem mais promissoras. Para tornar o processo de seleção dinâmico esse estágio de votação ocorre dentro de um período limitado. Independentemente da abordagem adotada, a continuidade precisa impulsionar o processo de seleção de ideias. A vantagem dessa abordagem é o fato de que ela usa a sabedoria popular para avaliar e selecionar as melhores sugestões a partir de um grande número de opções enviadas.

Desenvolvimento de ideias. Um dos principais desafios que os inovadores e/ou inventores enfrentam é o fato de não possuírem muitas das habilidades necessárias para o desenvolvimento da ideia até o ponto em que ela possa ser considerada pronta para o lançamento. É aí que os membros da comunidade podem contribuir com seus talentos únicos para aprimorar essas sugestões. No exemplo da Quirky, há um processo estruturado para o desenvolvimento de uma invenção que pode envolver milhares de membros da comunidade em decisões sobre *design*, nome e preço. No exemplo do DWP, equipes se formam em torno das ideias e as desenvolvem até o ponto em que são avaliadas para lançamento. Em todos os casos, o aprimoramento impulsionado pela comunidade permite que as pessoas contribuam para melhorar propostas que não são delas, e construam uma proposta ainda melhor.

Lançamento. Em algum momento o novo produto terá de ser lançado no mercado e é justamente aí que é preciso investir dinheiro para levar a ideia a outro patamar. Diferentes organizações usam abordagens distintas que estejam alinhadas aos processos de governança empresarial e investimentos internos, porém, todas as empresas precisam assegurar que um processo adequado seja colocado em prática para levar essa inovação do estágio de simples ideia ao de projeto. No exemplo do DWP, o gerente da unidade de negócios que irá "patrocinar" a inovação deve defender a ideia. Já no exemplo da Quirky, a comunidade discute e vota nas ideias que deverão ser levadas para a produção. No caso da Barclaycard Ring, a própria companhia revê as ideias selecionadas pela comunidade e determina quais delas devem ser implementadas e, às vezes, a comunidade é convidada a votar sobre a adoção, ou não, de uma sugestão.

Uma palavra de cautela: os membros da comunidade precisam ter a confiança de que suas ideias estão sendo consideradas de maneira séria, ou que, pelo menos, algumas das **"vencedoras"** seguirão adiante e serão implantadas. A organização se arriscará a perder a confiança de seu público-alvo se as ideias não forem implementadas ou demorar muito para que as decisões sejam tomadas. O processo de tomada de decisão deve ser o mais transparente possível para instilar nos membros da comunidade a confiança de que suas ideias estejam sendo avaliadas de modo justo e aberto.

Como você pode ver, a **sabedoria do povo** é uma força potente para a inovação, mas as pessoas precisam estar engajadas e concentradas. A gamificação beneficia a inovação ao envolver um grande número de pessoas na geração de propostas e no desenvolvimento de atividades. Ela cria um espaço onde a inovação poderá ocorrer e nortear a geração de ideias focais. Isso orquestra a inovação de modo que ela se revele benéfica para o empreendimento.

RESUMO

✓ Soluções inovadoras gamificadas tendem a se **basear em competição**. Elas diferem das soluções voltadas para mudanças comportamentais ou desenvolvimento de habilidades, que podem se mostrar mais colaborativas.

✓ A gamificação pode oferecer a estrutura para **engajar, motivar** e **concentrar** as atividades inovadoras sugeridas pela coletividade, deixando os jogadores livres para inovar dentro do espaço.

- ✓ Às vezes as pessoas terão de superar a ideia de que a **participação** na inovação **não é parte de seu trabalho**. A administração deve oferecer o apoio necessário no sentido de encorajar as pessoas a participarem.
- ✓ Na maioria das soluções inovadoras gamificadas, a submissão de ideias é **recompensada** com uma **grande quantidade de pontos**, ações, influência ou qualquer outro elemento de premiação em uso.
- ✓ O poder da multidão começa a se revelar na **seleção das ideias**. Nessa fase, as sugestões são avaliadas e votadas por integrantes da comunidade para assegurar que as melhores cheguem ao topo da lista.
- ✓ A comunidade é **crucial** para o **desenvolvimento de ideias** até o ponto em que elas possam ser lançadas como projetos. Membros da comunidade podem ajudar a preencher as lacunas no que diz respeito às habilidades que faltam ao idealizador e, assim, desenvolver de modo colaborativo as sugestões mais valiosas.
- ✓ Os integrantes da comunidade devem ter a **confiança** de que suas ideias estão sendo levadas a sério e que pelo menos algumas das **"vencedoras"** serão colocadas em prática.

PARTE II

PROJETANDO UMA EXPERIÊNCIA GAMIFICADA PARA O JOGADOR

Capítulo 6
Projeto centrado no jogador

Experiências são encontros pessoais que perduram ao longo de algum tempo e são capazes de impactar profundamente nossas percepções, construir nosso conhecimento e direcionar nossas ações. Em uma solução gamificada, a experiência do jogador é projetada como uma jornada, e acontece em um espaço de jogo que pode abrigar tanto o mundo físico como o virtual. Quando digo projetada não me refiro a um *design* técnico, mas de experiência. Embora o *design* técnico seja importante, o foco aqui é no trabalho mais desafiador de projetar a experiência do jogador. Além disso, *design* de **experiência** não é o mesmo que *design* de **experiência do usuário,** que se concentra na interface ser humano-computador, embora esses *designers* de experiência possam fazer parte da equipe. Na verdade, *design* de experiência é algo inteiramente distinto de uma típica abordagem de *software* de *design*, e, para ser bem-sucedido, exige um conjunto diferente de habilidades por parte do profissional. Este depende das seguintes disciplinas: filosofia do projeto (ou *design thinking*), ciência comportamental e sistemas emergentes.

PROCESSO DE *DESIGN* DE EXPERIÊNCIA DO JOGADOR

O processo de *design* de experiência do jogador fragmenta (ver Figura 6.1) as fases envolvidas na criação de um aplicativo gamificado e estrutura as tarefas em uma ordem lógica. Ela concentra o *design* no alcance dos objetivos pelo jogador, reduzindo simultaneamente a quantidade de tempo e os riscos envolvidos no projeto de uma solução gamificada.

① Resultados comerciais e métricas de sucesso.
② Público-alvo.
③ Objetivos do jogador.
④ Modelo de engajamento.
⑤ Espaço de jogo e jornada.
⑥ Economia do jogo.
⑦ Jogar, testar e repetir.

Figura 6.1: Processo de *design* de experiência do jogador

Ao longo dos dois próximos capítulos ilustraremos os passos do processo de *design* ao examinar de que modo a YakTrade, uma empresa fictícia de corretagem de desconto, desenvolveu uma solução gamificada para elevar os investimentos sociais a outro patamar.

> YakTrade, empresa de corretagem *on-line* sediada nos EUA, tem como público-alvo investidores individuais com idade abaixo dos 40 anos. Seus clientes não são pessoas mais velhas e com grande patrimônio líquido em busca de instituições financeiras austeras e cautelosas; são indivíduos

ligados à tecnologia que estão ampliando seus portfólios e procurando uma firma de corretagem que compreenda suas necessidades. A estratégia da YakTrade é se concentrar nessa nova geração de construtores de riqueza. Ela é uma empresa jovem para um mercado igualmente jovem. Fundada em 2009, quando os investidores haviam perdido toda a fé nos mercados financeiros, muitas pessoas duvidaram que a YakTrade seria capaz de sobreviver. Porém, a CEO da empresa, Melissa Green, via as coisas de maneira diferente.

Em primeiro lugar, em 2009 não havia nenhum caminho que os mercados pudessem percorrer, exceto para cima, e, enquanto outras empresas de corretagem estavam cortando custos, a YakTrade estava crescendo. Seu público-alvo era composto de pessoas que estavam começando a investir e, portanto, não haviam sido profundamente afetadas pela crise global de 2008.

Em segundo lugar, a falta de confiança em corretoras tradicionais se tornou uma vantagem para a companhia. A YakTrade não dispunha de recursos para oferecer pesquisas, todavia, uma vez que os investidores haviam se tornado bastante céticos em relação a consultores profissionais, isso não fazia muita diferença. Pelo fato de as maiores corretoras de desconto terem treinado seus clientes a esperar por esse tipo de pesquisa de mercado, esse era um custo que elas continuariam tendo, o que dava à YakTrade uma vantagem em termos de custos operacionais.

Em terceiro lugar, os jovens investidores da YakTrade demonstram perspectiva diferenciada em relação à administração financeira pessoal. Eles não acham que discussões sobre investimentos precisam ser apressadas ou realizadas de maneira privada com um consultor financeiro pessoal. Eles querem fazer parte de uma comunidade que pense da mesma maneira, e é isso o que a YakTrade oferece.

A Yakker é a plataforma de mídia social privada da YakTrade. Similar ao Facebook, a Yakker permite que seus clientes compartilhem ideias, estratégias de investimento e conselhos com toda a comunidade. É o que a CEO da empresa chama de "investimento social" – uma versão virtual do espírito comunitário experimentado nas reuniões realizadas pelos membros de clubes tradicionais de investimento.

Por último, é importante ressaltar que o público-alvo da YakTrade é a geração mais jovem e autodidata em tecnologia. Essas pessoas não estão acostumadas a ligar para o atendimento a clientes para pedir ajuda. Em vez disso, elas perguntam à comunidade na plataforma Yakker. Embora a empresa não forneça serviço de atendimento, o número de ligações é bem inferior ao da concorrência. Isso permite que eles concentrem seus recursos adicionais em educação, o que, aliás, é crucial para tais investidores.

Os clientes da YakTrade desejam construir portfólios de alta qualidade que possam crescer com o tempo, e a estratégia da companhia permite que os investimentos prosperem juntamente com os usuários do sistema. O aconselhamento de alta qualidade oriundo dos próprios investidores que operam com a YakTrade agrega valor à plataforma de mídia social da companhia, e a seus produtos, permitindo que ela retenha seus clientes e atraia novos. A YakTrade elevará os investimentos sociais a um novo patamar.

Porém, apesar de a YakTrade oferecer recursos educativos por meio de uma plataforma chamada Yakademy, seus cursos são bastante enxutos e entediantes, sendo pouco utilizados pelos clientes. Em sua análise inicial, Melissa Green e equipe descobriram que investidores confiantes e instruídos no assunto conseguem administrar seus portfólios de maneira mais ativa — impulsionando os ganhos de comissão. Entretanto, muitos dos clientes da empresa não têm conhecimentos básicos na área de investimentos. Além disso, enquanto muitas pessoas compartilham estratégias de negócios na Yakker, e alguns dos conselhos sejam de fato excelentes, a maioria das sugestões tem pouco valor, ou, o que é ainda pior, podem ser voltadas para a autopromoção e, inclusive, levar os investidores a seguir estratégias ruins. Isso significa que, para investidores sem experiência, é muito difícil distinguir o joio do trigo. O que os clientes da YakTrade realmente precisam é de acesso aos conhecimentos básicos dos investidores e à maneira como eles obtêm sucesso de longo prazo em seus investimentos.

Mike, diretor de soluções de engajamento de clientes do departamento de TI da YakTrade, é responsável pela plataforma de mídia social (Yakker), pelo sistema educacional para investidores (Yakademy) e também pela assistência técnica. A Yakker possui uma comunidade vibrante, mas o desafio está no fato de todas as vozes (de todos os membros) terem o mesmo peso, e a verdade é que justamente as pessoas com menos conhecimento são as que mais participam. Os conselhos valiosos dos investidores mais experientes acabam se perdendo em meio à tagarelice. Mike pretende intensificar as vozes que oferecem conselhos mais úteis. Nesse sentido, seus desafios são: oferecer à comunidade instrumentos capazes de identificar as pessoas cujas dicas forem valiosas e dignas de serem compartilhadas; elevar o grau de confiabilidade desses usuários especiais, fazendo que suas vozes se destaquem em meio ao falatório.

Conforme buscou soluções para esses problemas iniciais em sua própria comunidade on-line, Mike no início não levou em consideração o burburinho em torno da gamificação, acreditando que fosse apenas mais uma moda passageira. Foi então que ele participou de uma conferência e trabalhou em um estudo de caso que descrevia como a gamificação era usada de maneira bem-sucedida para encorajar funcionários a compartilharem novos conhecimentos usando uma ferramenta colaborativa em uma grande empresa de consultoria. Parecia realmente uma técnica poderosa que ele poderia aplicar à plataforma Yakker. Um pouco mais de pesquisa o levou a compreender que a gamificação também pode ser utilizada para envolver as pessoas em treinamentos. Assim, ele pensou que talvez fosse possível gamificar a Yakker e a Yakademy e, desse modo, elevar o conceito da empresa a um novo patamar.

A gamificação seria capaz de ajudar os investidores a dar os passos necessários para se tornarem mais bem-sucedidos e ainda permitiria que eles demonstrassem suas realizações usando distintivos ou algum outro tipo de premiação simbólica. Esses símbolos dos feitos alcançados possibilitariam que a comunidade estimasse o conhecimento e o sucesso de cada investidor para determinar o grau de importância dos conselhos oferecidos, construindo simultaneamente para a empresa a reputação de possuir investidores experientes e bem-sucedidos.

Mike discutiu as oportunidades de utilizar a gamificação com Tom Black, vice-presidente executivo de serviços aos investidores. No início, Tom se mostrou cético em relação ao uso de jogos nos portfólios financeiros dos clientes. Porém, Mike explicou que a gamificação não diz respeito a jogos, mas a **envolvimento** e **motivação**. Mesmo assim, Tom ainda se mostrava desconfiado, mas compreendeu que outras organizações haviam alcançado grande sucesso usando a gamificação e concordou em explorar mais a ideia.

> Mike contatou Jessica, da Kaleftic, a agência de mídia digital que ajudou a YakTrade com o design e lançamento de seu site de mídia social. Ele descobriu que a Kaleftic havia recentemente realizado alguns projetos de gamificação. Jessica acredita que as ideias de Mike podem ajudar a YakTrade e seus clientes a perceberem o verdadeiro valor de sua plataforma.

Como discutido anteriormente, a gamificação não gira em torno de atribuir pontos e distintivos a atividades e transformá-las em algo envolvente, como em um passe de mágica. O conceito diz respeito a compreender os objetivos e as motivações dos participantes e a projetar uma experiência capaz de inspirá-los a atingir seus objetivos. Tom e Mike reconheceram a oportunidade de oferecer aos clientes opções de treinamento e aconselhamento mais eficientes na comunidade. Contudo, isso não será fácil. Criar uma solução gamificada que envolva as pessoas em nível emocional exige que a empresa tenha profundo conhecimento de seus clientes. Os objetivos deles nem sempre são racionais ou fáceis de identificar, e é provável que não pareçam uniformes entre todos os participantes da comunidade. Nesse caso faz-se necessário um processo de descoberta.

O *design* de experiência gamificado deve construir soluções de baixo para cima, empregando um processo denominado **filosofia do projeto**. Os *designers* são empiristas por natureza. Eles não abordam determinado problema a partir de noções preconcebidas do que seria a solução, mas identificam as necessidades subjacentes - e às vezes ocultas - dos usuários como base para compreender o que é preciso para resolver um problema. Sua abordagem é coletar muita informação, buscar relações e sintetizar uma resposta.

Cory Eisentraut, diretor criativo da equipe do *Esquadrão da Dor*, disse certa vez: "Sabemos que o melhor trabalho surge quando adentramos os problemas e nos colocamos no lugar do paciente e/ou usuário final."

De fato, nos estágios iniciais do projeto do *Esquadrão da Dor*, a Cundari estava planejando batizar o aplicativo de *Gumshoe*, e criar uma história sobre um detetive particular. Porém, quando testaram esse conceito com as crianças, descobriram que nenhuma delas sabia o significado dessa palavra. Isso os fez repensar a abordagem e alterar o cenário para que, em vez do detetive, ela girasse em torno de um esquadrão policial – as forças policiais ostentam uma estrutura progressiva inerente, o que poderia ser facilmente incorporado à solução original. Pelo que Cory Eisentraut se recorda: "Quando nos vimos forçados a mudar a trajetória acabamos encontrando um caminho ainda melhor. E essa foi uma grande vitória para todos nós."

APLICANDO O CONCEITO DE FILOSOFIA DO PROJETO

Quando os *designers* pensam em projetos, alguns deles tentam resolver problemas bem maiores que apenas criar um produto bonito e elegante para o mercado. Na verdade esses profissionais defendem o que chamamos de filosofia de projeto, que utiliza as melhores abordagens de *design* e as aplica a uma infinidade de problemas. De acordo com Tim Brown, um dos líderes da filosofia de projeto, e presidente e CEO
  Da empresa IDEO: "A filosofia de projeto é uma abordagem de inovação centrada no ser humano, que usa o *kit* de ferramentas do *designer* para integrar as necessidades das pessoas, as possibilidades tecnológicas e os requisitos para o sucesso nos negócios."[1]

Os princípios norteadores da filosofia de projeto podem ser aplicados a grande variedade de problemas e são capazes de ampliar as abordagens convencionais para a solução de problemas. Os *designers* de experiências gamificadas devem ficar atentos em relação a *softwares* de *design* tradicionais. No desenvolvimento de programas, um dos tratamentos mais comuns que visam solucionar dificuldades é a decomposição.

Para fragmentar um grande problema, esse processo o divide em vários pequenos empecilhos que podem ser resolvidos mais facilmente. A partir daí, a decomposição reúne todas essas pequenas soluções, formando uma resposta maior para o grande problema previamente encontrado. Embora essa solução seja adequada a vários problemas de *software*, não é a melhor a ser aplicada no *design* de experiências gamificadas. A decomposição atende aos requisitos mais óbvios dos usuários, todavia, não leva em consideração o engajamento e/ou a motivação desses indivíduos. Os *designers* de *software* raramente perguntam aos clientes o que os motiva. Os programas têm conotação utilitária, portanto, o principal objetivo é torná-los suficientemente práticos para o usuário em suas atividades diárias, como realizar uma ordem de compra ou agendar um compromisso. Isso é ótimo no caso de programas projetados para serem úteis e eficientes, mas não para aqueles destinados a estimular os usuários. Sem a profunda compreensão dos objetivos e das motivações desses indivíduos, abordagens mais típicas e comuns no *design* de *software* provavelmente resultarão em soluções que atendam às especificações do produto, mas fracassem no engajamento do público-alvo.

De acordo com a IDEO: "A filosofia de projeto é um processo intensamente humano que mexe com habilidades que todos nós possuímos, mas que são negligenciadas diante de práticas mais convencionais para a solução de problemas. Ela conta com nossas habilidades no que se refere à intuição, ao reconhecimento de padrões, à construção de ideias que sejam, ao mesmo tempo, funcionais e emocionalmente significativas, e à nossa capacidade de nos expressarmos por meios que vão além das palavras e dos símbolos."

Analisemos essa afirmação para compreendermos de que modo a filosofia de projeto se aplica à gamificação. Em primeiro lugar, essa filosofia "é um processo intensamente humano." Sendo assim, a gamificação precisa começar com uma **abordagem centrada no jogador**. Os profissionais devem, portanto, iniciar o trabalho explorando os objetivos e as motivações dos participantes, antes mesmo de considerar como aplicar as soluções. Em segundo lugar, os *designers* devem ser **"intuitivos para reconhecer padrões"**, e precisam fazê-lo adotando abordagem empírica – explorando, coletando dados e reconhecendo padrões relacionais para compreenderem a natureza do problema a ser solucionado. Em terceiro lugar, a filosofia de projeto é usada para **"construir ideias"**, e, como veremos mais adiante, soluções gamificadas são aprimoradas com o tempo, e não utilizam o modelo em cascata (*waterfall*), tão comum em *softwares*, em que o *design* é finalizado antes mesmo que o desenvolvimento propriamente dito tenha início. Em quarto lugar, a solução precisa ser **"emocionalmente significativa"** – soluções gamificadas bem-sucedidas envolvem os jogadores em um nível emocional. E, por fim, **"expressar o que o usuário quer dizer por meios que vão além de palavras e símbolos"**.

A gamificação usa palavras e símbolos, entretanto, os aplica na criação de experiências significativas.

Nas mãos de um competente *designer* de experiências, as ferramentas da gamificação podem se tornar um poderoso meio para motivar pessoas a atingirem seus objetivos. Neste capítulo iremos compreender o processo de *design* de experiência do jogador na gamificação, incorporando a *expertise* dos profissionais da área de filosofia de projeto.

PASSO NÚMERO UM: DEFININDO OS RESULTADOS ESPERADOS E AS MÉTRICAS DE SUCESSO

Ao iniciarem o projeto, Jessica fez a primeira pergunta a Tom: Quais são os objetivos da YakTrade ao gamificar as plataformas Yakker e Yakademy? Tom respondeu que existiam vários objetivos:

1. Oferecer aos clientes o conhecimento necessário para que eles pudessem investir de maneira bem-sucedida.
2. Obter junto à comunidade de clientes *(crowdsourcing)* dados de pesquisas e informações de qualidade.
3. Aumentar as receitas referentes a comissões.
4. Ampliar a base de clientes e a retenção.

Porém, Jessica precisava de dados mais específicos e concretos. Ela perguntou:

1. Que índices a Yakademy precisaria atingir para ser considerada um sucesso?
2. Como essas pesquisas oriundas da comunidade serão avaliadas em qualidade, e quais são nossas metas?
3. Qual é o percentual de aumento na comissão por cliente?
4. Quais são as metas de crescimento da base de clientes e de retenção?

Agora Tom precisa investir algum tempo ao lado dos gerentes seniores da YakTrade para articular os objetivos da empresa de maneira clara.

A gamificação é uma das **ferramentas** mais **novas** a surgir no mercado, e, por isso, muitas organizações querem adicioná-la ao seu instrumental. Frequentemente converso com clientes que desejam implantar soluções gamificadas ao negócio – qualquer solução, não importa de que tipo e para quê. Eles apenas querem algum modelo de gamificação, pois isso parece "bem legal" e interessante. Essas pessoas estão enfeitiçadas por uma tendência, não pelo verdadeiro impacto comercial que ela causará. A própria gamificação se tornou um objetivo. Em geral, costumo perguntar a esses clientes que tipo de resultado eles estão tentando alcançar nos negócios, e, com isso, nosso diálogo retorna à realidade.

Depois de investir a maior parte de minha carreira ajudando empresas a avaliar tendências e tecnologias inovadoras para uso corporativo, aprendi que a **regra número um é: não invista em qualquer tendência ou tecnologia (incluindo a gamificação) sem antes identificar que resultados comerciais você deseja alcançar.** Atualmente, muitas pessoas em organizações ficam encantadas com o conceito de gamificação e parecem estar mais focadas em "fazer alguma coisa" que em atingir um objetivo claramente definido. E essa é a receita para o fracasso. Uma pergunta lógica destaca o conceito: **como uma empresa pode alcançar o sucesso sem antes definir o que esse sucesso significa para ela?**

Uma vez definida a necessidade comercial que poderá ser atendida pela gamificação, o próximo passo é definir as metas e as métricas para avaliar o sucesso, em detalhes. Muitos empreendedores descrevem resultados comerciais utilizando termos vagos como "aprimorar o envolvimento dos clientes" ou "estimular a inovação do produto". Todavia, acrescentar detalhes específicos irá certamente 1º) garantir direcionamento mais claro; 2º) criar uma métrica adequada para avaliar o sucesso; e 3º) nortear os limites de investimentos. A gamificação não é a solução para todos os problemas de engajamento. Nesse sentido, a definição clara dos resultados esperados vai ajudá-lo a determinar se esse conceito é, ou não, adequado para auxiliá-lo a enfrentar os desafios da empresa.

Os resultados estabelecidos devem ser realistas, alcançáveis e claramente explicitados, e ainda incluir métricas para a avaliação do sucesso. Por exemplo:

- Aumentar o tráfego no *site* em X% em Y meses;ampliar o número de recomendações pelos clientes em X% em Y meses;elevar o valor das compras pelos membros da comunidade *on-line* em X% em Y meses;aumentar as compras por novos clientes por intermédio do departamento de vendas interno em X% em Y meses;lançar número X de projetos de inovação em Y meses;reduzir a média de tempo para ambientação no *site* a X dias;ampliar o grau de compreensão dos cursos em X%.

Além de identificar os resultados comerciais pretendidos, as empresas também precisam compreender os problemas que as estão levando a buscar e a adotar soluções gamificadas. Esses transtornos representam mudanças no ambiente dos negócios e, com frequência, são causadas por fatores externos à organização, como a migração de clientes para novos canais ou o fato de os concorrentes estarem inovando em um ritmo mais acelerado. O fator subjacente que está causando o problema para a empresa oferecerá um contexto para as metas de resultados comerciais.

Também é crucial testar o alinhamento entre os resultados comerciais desejados e as estratégias adotadas. Quais delas são sustentadas pela iniciativa e capazes de ser atreladas à maneira como os líderes empresariais vão promover a ideia?

PASSO NÚMERO DOIS: DEFININDO O PÚBLICO-ALVO

Jessica reconhece a enorme importância de identificar o público-alvo para a solução gamificada da Yakker, afinal, a empresa possui mais de 500 mil clientes. Nesse sentido, Jessica começa o processo solicitando informações demográficas – grupos por faixa etária, grau educacional, gênero e status familiar.

1. Qual é a média de patrimônio líquido dos seus clientes?
2. Eles são casados ou solteiros?
3. Eles são proprietários de imóveis? Eles pagam financiamentos/hipotecas?

> Em muitos casos, as perguntas propostas não podem ser respondidas com os dados existentes no sistema. Mesmo assim, Mike forneceu à equipe de projeto da Kaleftic todas as informações que conseguiu obter na atual base de dados da empresa. Porém, isso não é o suficiente, então Jessica e seu time de profissionais vão até a Yakker e conversam com vários grupos geográficos de clientes, de diferentes idades e situações financeiras distintas. Eles descobrem que somente 20% dos clientes são ativos na empresa, então fazem uma pesquisa com um grupo de clientes para descobrir a razão pela qual um número maior não participa. A Kaleftic organiza um grupo focal de clientes que concorda em se reunir na plataforma Yakker para compartilhar ideias. A comunidade da YakTrade tem algumas similaridades e a mesma quantidade de diferenças. Embora a maioria dos clientes seja mais jovem, a base inclui uma porção significativa de investidores mais velhos e um número desproporcionalmente elevado de mulheres. Essa base também inclui empresários independentes, profissionais liberais e trabalhadores especializados. Muitos dos clientes são pais (tanto casados como solteiros), portanto, embora a maioria esteja poupando para a aposentadoria, muitos também o estão fazendo para garantir a educação dos filhos.
>
> A equipe de Jessica mais escuta do que fala. Todos querem descobrir o que os clientes valorizam nas plataformas Yakker e Yakademy, o que menos apreciam, o que os motiva a participar da comunidade e o que os impede de fazê-lo. Eles anotam tudo e percebem a existência de temas comuns naquilo que lhes foi dito. Isso os leva a desenvolver um mapa de motivação e objetivos para o programa de engajamento. No final, eles começam a caracterizar alguns dos traços de personalidade e motivações e transformá-los em *"personas"* – indivíduos fictícios que representam algumas das histórias mais comuns que escutaram dos clientes.

É fundamental definir o público-alvo para qualquer solução gamificada. Como mencionado no Capítulo 2, de modo geral, esse público específico é formado por clientes, funcionários ou por uma comunidade que compartilha os mesmos interesses. Em termos de valores essenciais, as empresas realizam diferentes tipos de troca com cada um desses públicos: clientes geralmente trocam dinheiro por um produto ou serviço;

empregados trocam seu tempo e força de trabalho por dinheiro; e comunidades podem existir para trocar informações, construir redes sociais ou trabalhar em prol de um objetivo compartilhado, para listar apenas algumas possibilidades. Embora cada um desses grupos execute sua própria troca de valores, há múltiplas e complexas permutas ocorrendo simultaneamente. A gamificação com frequência se direciona a questões extrínsecas a esses intercâmbios de valores. No exemplo do *Esquadrão da Dor*, a troca de valor essencial entre o hospital e os pacientes ocorre na forma de tratamento. Todavia, a coleta de informações sobre a dor estava fora dessa permuta de valor.

O intuito de se definir um público-alvo é estabelecer limites em torno de um grupo de pessoas com o qual a empresa precisa se envolver. Isso limita o número de diferentes tipos de jogadores que precisam ser considerados na solução e, desse modo, direciona e guia as decisões relativas ao *design*. Por exemplo, no caso do *Esquadrão da Dor*, o público-alvo era formado por pacientes dos sexos masculino e feminino, na faixa etária de 8 a 18 anos, que foram diagnosticados com câncer. De acordo com a dra. Stinson, do SickKids: "Essa variação de idade é bastante ampla, portanto, encontrar algo que seja atraente para todos os envolvidos, de ambos os sexos, foi bem difícil. Trabalhar no enredo das histórias com os pacientes, quadro a quadro, realmente nos deu a certeza de que estávamos no caminho certo."

Como vimos em exemplos apresentados anteriormente, a American Heart Association, a Khan Academy e a Quirky definem seu público-alvo como "comunidades de interesse" – voluntários, estudantes e inventores, respectivamente. A DWP, a DIRECTV e a NTT Data estabelecem seus funcionários como público-alvo. A Nike, a Change Healthcare e a Barclaycard apresentam seus clientes como público-alvo. Portanto, ter compreensão clara desse público pode evitar o desalinhamento nos objetivos que resulte em soluções que atraiam o tipo errado de usuário.

O processo de coleta de informações ajuda os *designers* de experiência a compreender a demografia do público-alvo: gênero, faixa etária, renda, localização e quaisquer outros fatores que possam influenciar na motivação dos jogadores. Óbvio que essa avaliação demográfica nunca oferecerá um público-alvo homogêneo. Mesmo nos grupos demográficos mais específicos residem variações individuais por conta dos tipos de personalidade, que, aliás, também precisam ser identificados e categorizados.

EXPLORE O PÚBLICO-ALVO

Uma vez identificado o público-alvo, prepare-se para devotar um tempo considerável ao aprendizado de tudo sobre seus componentes. Como já discutido, os melhores *designers* constroem ideias de baixo para cima, observando o público, coletando dados e identificando relações. Não subestime a importância de investir tempo no público-alvo. Converse com as pessoas, conheça-as bem e aprenda o que puder sobre elas. Pergunte do que elas gostam e/ou não gostam, bem como o que funciona e não funciona. Se os funcionários forem o público-alvo, pergunte a eles sobre o trabalho que realizam e como o fazem. Se forem clientes, descubra o que eles valorizam e ao que não dão nenhum valor. Peça a eles que expliquem porque adquirem o produto de sua empresa em vez do fornecido pelo concorrente. Pergunte como seu produto e/ou a experiência de seus clientes com o serviço oferecido poderiam ser aprimorados.

A coleta de dados será norteada pelos objetivos comerciais, mas não deverá ser limitada por eles. Utilize perguntas claras e esteja preparado para obter resultados inesperados. Ouça e observe eventuais indícios de motivação que reflitam os objetivos da empresa. Como veremos adiante, em geral, os objetivos dos jogadores estão alinhados com os da empresa, mas são apresentados de maneiras diferentes. Como dois lados de uma mesma moeda, as metas da organização e dos jogadores podem apresentar aparências distintas, mas, com frequência, representam a mesma coisa.

As empresas raramente projetam soluções gamificadas que atendem a grupos demográficos e/ou tipos de personalidade isolados. Compreender as motivações do público-alvo permite que os *designers* engajem o maior número possível de participantes. De fato, quanto mais conhecerem e entenderem a personalidade dos jogadores, mais provável que eles definam as motivações e os objetivos adequadamente. A maioria dos públicos-alvo é heterogênea, porém, características comuns e específicas são reveladas. Para compreender esses pontos em comum, é preciso categorizar os atributos/as qualidade e criar *personas* que os represente.

CRIE *PERSONAS* PARA OS JOGADORES

Uma *persona* é um indivíduo imaginário que abriga alguns dos traços de caráter comuns de um grupo de pessoas. Por exemplo, ao projetar a We365, a Free The Children e a TELUS criaram uma *persona* chamada Hannah, uma jovem de 15 anos que se importava com causas sociais. Ela vivia em um ambiente urbano no Canadá e era bastante ativa nas mídias sociais. Então, a equipe fez a seguinte pergunta: "Do que Hannah gostaria?" Depois dela, a equipe da We365 se dividiu para criar *personas* para meninos e para outras pessoas.

Criar esses personagens ajuda a evitar discussões abstratas sobre o fato do objetivo ser um retorno rápido ou crescimento de longo prazo. Cada grupo tem diferentes objetivos e motivações, porém, à medida que são criadas *personas* fictícias para representá-los, torna-se mais fácil identificar suas metas e seus estímulos pessoais. A partir daí, também é possível manter discussões focadas acerca de cada personagem.

> Quando a equipe de Jessica completa o perfil do público-alvo da YakTrade, quatro personas são geradas:
>
> **Daniel** ➤ Um arquiteto de 36 anos, cuja renda é elevada, está poupando para sua aposentadoria. Seu portfólio se baseia amplamente em ações *blue-chip*, ou seja, de primeira linha, e fundos de investimento com cotas negociáveis na bolsa de valores norte-americana. Sua abordagem nos investimentos é analítica e de longo prazo. Ele não é do tipo que "especula" e, em termos relativos, seu único risco real é o mercado propriamente dito. Seu portfólio é sólido e saudável. Ele se cadastrou na Yakker e, inclusive, já respondeu algumas perguntas sobre como manter o equilíbrio no portfólio de investimentos. Contudo, o compartilhamento de seus conselhos aparentemente não compensou o tempo investido. Nas horas vagas Daniel é voluntário em um conselho de planejamento comunitário, onde usa sua *expertise* como arquiteto para transformar espaços e prédios vazios e sem uso em áreas recreativas nas regiões mais empobrecidas da cidade.

Amanda ➤ Professora de 38 anos, cujo marido é radiologista. Eles têm dois filhos. Sua renda conjunta é confortável e ambos estão poupando para garantir a educação das crianças e também para sua própria aposentadoria. Amanda cuida das finanças domésticas, mas ela não compreende muito bem nem confia muito no mercado de ações. Ela conta com os pais quando o assunto é aconselhamento financeiro. O portfólio familiar se concentra basicamente em títulos de baixo risco, mas está subaproveitado. Amanda utiliza a plataforma Yakker regularmente e percebe que outras pessoas estão se saindo bem melhor com suas carteiras de investimento. Ela está começando a achar que deveria investir parte de seu capital em ações, mas não tem o conhecimento e a confiança necessários para tomar tal atitude.

Robert ➤ É um executivo de 58 anos do setor contábil. Trabalha em uma empresa de *softwares*. É divorciado, seus filhos já são adultos e ele possui uma receita disponível considerável. Ele vê o mercado de ações como um jogo e se comporta como um jogador. Ele dispõe de conhecimentos suficientes no mercado de ações para ser perigoso. Acredita que essa arena é apenas para quem entende do negócio e que a chave para o sucesso é manter boas conexões. Ele é um negociador ativo, sempre em busca dos mais novos boatos no mundo financeiro. De modo geral, seu portfólio está perdendo dinheiro, mas ele sabe que se conseguir agarrar a próxima boa oportunidade poderá se tornar bem rico. É bastante ativo na Yakker, onde se tornou uma espécie de "central de rumores", criando e disseminando os últimos boatos do mercado, com a autoridade de quem está "por dentro" do assunto. Robert também considera a plataforma Yakker bastante útil para promover o *software* da companhia em que trabalha e os produtos que comercializa. Afinal, ele tem ações da empresa e ganha comissão pelas vendas. A possibilidade de divulgar a empresa e seus produtos é um grande benefício da plataforma. Embora alguns membros o critiquem por deixar o assunto principal de lado, ele não se importa. Afinal, como se costuma dizer, qualquer publicidade é boa publicidade.

Sarah ➤ Ela começou sua carreira oferecendo serviços de bufê para festas há doze anos. Porém, esse pequeno negócio cresceu, emprega agora 70 funcionários e atende a lanchonetes de empresas e hospitais.

> Ela é casada e tem três filhos. Seu marido fica em casa e cuida dos filhos e dos afazeres domésticos. Ao longo dos anos, foi perdendo o interesse por supervisionar o preparo de salgados e guloseimas, e a maior parte da administração do negócio foi delegada a seu diretor de operações. A empresa se transformou nas suas algemas douradas. Seu sonho é ampliar e fortalecer seu portfólio para conseguir vender o negócio e poder passar mais tempo com a família. Sarah já investiu bastante tempo em seu autodesenvolvimento na área de investimentos, tanto com a Yakademy, como pesquisando em outras fontes. Seus esforços têm sido compensados. Seus resultados com frequência superam os obtidos em fundos administrados por profissionais. Ela segue de perto cerca de 30 companhias, e é bastante ativa na Yakker. Seus conselhos são bastante valorizados e já conseguiu atrair muitos seguidores.
>
> A partir da definição dessas *personas*, Jessica e sua equipe sabem o suficiente sobre os jogadores para seguir em frente com o projeto.

Ao criar esses personagens, Jessica e seu time podem considerar que o objetivo de Sarah é manter o crescimento de seu portfólio acima da média, adotando uma gestão ativa e estratégia de médio risco. Enquanto isso, o objetivo de Daniel é crescimento sólido sem a necessidade de administrar diariamente sua carteira de investimentos. Amanda gostaria de ter um desempenho melhor com seu portfólio, mas não dispõe do conhecimento e da confiança necessários. Robert está arriscando ao buscar o grande lance. No final dessa fase, os projetistas terão uma lista de *personas*, juntamente com os objetivos e as motivações de cada um.

PASSO NÚMERO TRÊS: DEFINIR OS OBJETIVOS DOS JOGADORES

> Jessica e sua equipe agora compreendem bem os objetivos da YakTrade, bem como suas motivações. Embora o grupo tenha confirmado suas expectativas de que todos os investidores queiram ganhar em cima de seus investimentos, eles também descobriram que, no que se refere a administração e tolerância de risco, as estratégias implementadas por esses indivíduos estão com frequência desalinhadas em relação a seus

objetivos. Um dos grandes problemas é a falta de conhecimento; outro é o fato de alguns membros mais ativos na plataforma, como Robert, exercerem influência exagerada sobre outros, levando muitos desses investidores a tomar decisões inadequadas. Mais conselhos do tipo oferecido por Daniel seriam úteis ao fórum, e o próprio Daniel gostaria de contribuir mais, desde que isso fosse reconhecido. Sarah oferece informações valiosas à comunidade, mas o problema é que tem de competir com as fornecidas por indivíduos como Robert, bem menos valiosas e confiáveis. Pessoas como Amanda se beneficiariam se conseguissem avaliar a qualidade dos conselhos compartilhados na plataforma, distinguindo entre os oferecidos por Sarah e Robert.

Jessica e sua equipe também descobriram alguns objetivos inesperados dos clientes. Por exemplo, alguns promovem ações de suas empresas ou até produtos e serviços de empresas nas quais têm algum interesse. Jessica discutiu esse objetivo não antecipado com Tom e Mike, que estão cientes do fato de que a plataforma tem sido usada com propósitos comerciais. Embora a Yakker não tivesse sido planejada para isso, ambos têm relutado em desconectar os clientes que advogam em favor próprio. É óbvio que promover outras empresas e outros serviços não é do interesse da maioria dos clientes da YakTrade, nem da própria companhia, todavia, censurar discussões é uma questão delicada. A situação ideal seria atenuar as postagens que se mostrem irrelevantes no que se refere a investimentos.

Agora os objetivos estão começando a ganhar forma. É óbvio que investidores individuais têm diferentes objetivos de riscos e retornos, eles são influenciados por diferentes fontes e existem grandes lacunas no nível de conhecimento dos membros.

No final, a equipe definiu quatro objetivos para os jogadores (membros):

1. Desenvolver conhecimentos básicos na área de investimentos.
2. Ressaltar as contribuições e o sucesso de investidores com conhecimentos mais profundos na área.
3. Implementar as ferramentas necessárias para filtrar as informações publicadas (separando o joio do trigo).
4. Usar a plataforma para a promoção de produtos e serviços não relacionados a investimentos.

> Jessica e seu time se sentem bem a respeito das soluções definidas, uma vez que a maioria delas está perfeitamente alinhada com os objetivos dos membros e com os resultados desejados pela empresa. A gamificação da YakTrade agora apresenta maior probabilidade de se tornar um sucesso.

Resultados para a empresa

Objetivos compartilhados
- Aumento da receita
- Elevação da taxa de retenção & crescimento

(Intersecção)
- Pesquisa de qualidade oferecida pelos membros (*crowdsourcing*)
- Ampliação dos conhecimentos do investidor
- Recompensa aos membros que contribuem com mais informações de qualidade

Objetivos do jogador (membro)
- Promoção de empresas & produtos

Figura 6.2: Definindo o escopo do projeto de gamificação

Agora é o momento de analisar em que pontos os resultados para a empresa e os objetivos dos membros se entrelaçam, e em quais isso não acontece. Não surpreende que os clientes não compartilhem totalmente do objetivo da YakTrade de aumentar sua receita, crescer e elevar sua taxa de retenção. Em contrapartida, Jessica já estabeleceu que a YakTrade não apoia o uso da plataforma Yakker para a promoção de empresas e produtos. Até aí tudo bem; ninguém pode realmente esperar que todos os objetivos estejam alinhados. Contudo, o mais importante é focar naqueles que se cruzam, ou seja, nas metas compartilhadas. Com frequência, os objetivos são declarados de maneira diferente por jogadores (membros) e pela organização. A área de interseção – o ponto central para a gamificação – define o espaço oportuno para envolver os jogadores de modo que eles alcancem seus objetivos e, ao mesmo tempo, para que a companhia atinja suas metas (ver Figura 6.2).

RESUMO

✓ É importante usar um **processo de descoberta** ao projetar uma experiência gamificada. Compreender profundamente os objetivos da empresa e dos jogadores (membros) permite ao *designer* planejar uma solução eficiente, em vez de simplesmente fragmentar o problema. O *design* típico do *software* resulta, normalmente, em uma solução que atende às especificações da empresa, mas que fracassa em envolver o público-alvo.

✓ **Clareza** é crucial ao se definir os objetivos da empresa. Os *designers* precisam se assegurar de que os objetivos sejam realistas, alcançáveis, explícitos e incluam métricas para a avaliação do sucesso.

✓ Criar uma **solução gamificada** que envolva pessoas em **nível emocional** requer da empresa profundo conhecimento dos jogadores. Os objetivos nem sempre são racionais, podem ser difíceis de identificar e provavelmente não serão uniformes entre todos os participantes.

✓ **Defina o público-alvo, compreenda a demografia** e **desenvolva personas fictícias** que representem as personalidades e as metas mais típicas dos jogadores.

✓ A **área de interseção** entre os resultados desejados pela empresa e os objetivos dos clientes representa o ponto central no projeto de gamificação.

Capítulo 7
Projetando uma solução gamificada

Em sua próxima reunião de avaliação, ao lado de Tom e Mike, Jessica revê os objetivos das soluções gamificadas. Todos estão felizes pelo modo como o projeto está progredindo e os rapazes sugerem que, a partir de agora – quando as metas já são conhecidas –, sejam criadas uma série de competições para motivar clientes a usar a Yakademy e a contribuir com mais pesquisas de qualidade com a Yakker. Jessica, entretanto, discorda dessa abordagem. Em vez de estabelecer um ambiente competitivo com o uso de disputas, ela recomenda a criação de um **ambiente colaborativo** em que todos possam se beneficiar com o aprimoramento das plataformas.

À medida que discutem a questão de maneira mais aprofundada, Tom e Mike percebem que definir a estrutura do jogo é crucial para o sucesso da solução. Além de precisarem considerar como fazer as pessoas apoiarem as contribuições de outros clientes, também têm de estabelecer a estrutura de recompensa que será utilizada, imaginar de que maneira eles esperam que os clientes vão encorajar uns aos outros a usá-las e, ainda, determinar como manter o envolvimento dos cliente durante longos períodos.

A motivação para participar precisa vir dos próprios clientes. Os participantes serão reconhecidos pelo desenvolvimento de seus conhecimentos, pelas contribuições feitas à comunidade e pela qualidade de suas pesquisas. A comunidade, em contrapartida, vai determinar a qualidade do material pesquisado. A equipe da YakTrade também usará a recognição negativa por parte da comunidade para reduzir a promoção de empresas e produtos na plataforma Yakker.

PASSO NÚMERO QUATRO: DETERMINAR O MODELO DE ENGAJAMENTO DOS JOGADORES

Depois de definir o escopo da solução gamificada e determinar os objetivos e as motivações dos participantes, é hora de cuidar das decisões a respeito da estruturação da solução gamificada. O modelo de engajamento dos jogadores vai descrever de que modo eles vão interagir com a solução. Na prática, ele descreve a maneira como a solução será posicionada.

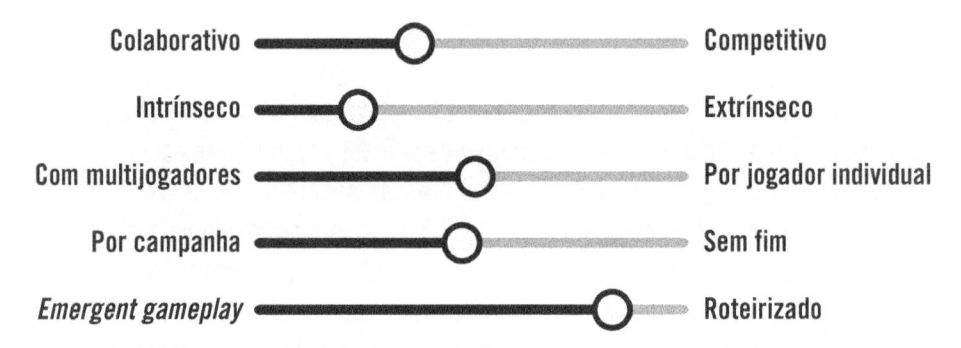

```
Colaborativo   ———O———————   Competitivo
Intrínseco     —O———————————  Extrínseco
Com multijogadores  ————O———  Por jogador individual
Por campanha   ———O—————————  Sem fim
Emergent gameplay  —————————O—  Roteirizado
```

Figura 7.1: Modelo de engajamento do jogador

Muitas pessoas têm ideias pré-concebidas sobre o que são jogos, e cometem o erro de aplicar tais inclinações ao problema que têm nas mãos. Na verdade, os parâmetros de engajamento da solução são escolhas que precisam ser feitas, e, cada uma delas exercerá forte impacto no modo como as pessoas vão interagir com a solução e com outros jogadores. O desafio na gamificação é pensar cuidadosamente a respeito das implicações de cada parâmetro do jogo e tomar decisões conscientes sobre como a experiência será estruturada. Observemos alguns dos parâmetros mais comuns que precisam ser desenvolvidos na fase de *design* (Figura 7.1):

Colaborativo/Competitivo. Um dos parâmetros básicos a ser considerado é o equilíbrio entre competição e colaboração nas experiências gamifi-

---
* Esse tipo de jogo se refere a situações complexas que surgem à medida que os jogadores interagem com o programa. (N.T.)

cadas. Nessa área, muitas pessoas confundem jogos com gamificação. A assunção mais comum é de que os jogos são naturalmente competitivos e que "um pouco de competição não machuca ninguém". Essa atitude mental é típica dos jogadores de pôquer, em uma interação na qual todos concluem que cada jogo é uma disputa competitiva que enquanto alguém ganha outros necessariamente perdem, e na mesma proporção. Entretanto, em muitas soluções gamificadas (mas não em todas), essa percepção está **incorreta**. Jogos como o pôquer são bem-sucedidos em estimular um conjunto particular de comportamentos – uma mentalidade competitiva impulsionada pela ideia de que o ganhador leva tudo.

Algumas vezes, os jogadores competem entre si; outras, todos competem contra "a casa" (o cassino, nesse caso). Porém, na maioria das soluções gamificadas, não existe um vencedor único, e os próprios jogadores encorajam uns aos outros a se tornarem bem-sucedidos. Jogos colaborativos apresentam maior probabilidade de impulsionar comportamentos alinhados com soluções almejadas. Por exemplo, se o desafio for treinar os funcionários nas políticas da organização, o objetivo não é ter um vencedor, mas habilitar o maior número de indivíduos possível. Criar uma estrutura de jogo competitiva simplesmente não é adequado nesse caso.

Em aplicativos gamificados colaborativos os jogadores são recompensados por ajudar ou encorajar os demais participantes a atingirem seus objetivos. Como vimos no exemplo da Nike+, os amigos são convidados a incentivar os usurários. Como na maioria desses parâmetros, o nível de competição e colaboração é uma sequência contínua, e pode haver combinação de abordagens colaborativas e competitivas. A maneira mais comum de mesclar a colaboração e a competição é criando estruturas de equipe dentro do jogo. Os jogadores colaboram dentro de seu grupo, e as equipes competem umas com as outras.

Intrínseco/Extrínseco. Como já discutido nesse livro, soluções em que os jogadores são primariamente recompensados com elementos tangíveis são, na verdade, programas de recompensa. Os jogadores obtêm algum retorno por fazerem algo que a empresa deseja que eles façam. Soluções gamificadas contam primariamente com recompensas intrínsecas, o que não significa que as extrínsecas não possam ser utilizadas. Como observamos no exemplo do BBVA, pode haver combinação entre recompensas intrínsecas e extrínsecas. Os clientes do BBVA são motivados a usar o jogo para aprenderem como usar os serviços bancários *on-line*. Entretanto, para gerar mais estímulo entre os usuários, a instituição tornou o uso da Internet mais atraente oferecendo premiações, como o sorteio de ingressos para eventos esportivos.

Multijogadores/Jogadores individuais. Nos jogos de baralho a dinâmica do Buraco é bem distinta da que prevalece na Paciência. A diferença é que no primeiro os jogadores interagem entre si, enquanto no segundo eles interagem com o próprio jogo. O mesmo se aplica à gamificação. Em muitos aplicativos os jogadores interagem somente com a solução, sem qualquer ligação entre eles próprios, como vimos no exemplo do *Esquadrão da Dor*. Em outras soluções gamificadas há grande interação entre os participantes - vimos algo assim na solução de inovação da Quirky. Os *designers* de soluções gamificadas precisam, portanto, determinar logo de início se o produto suportará vários jogadores competindo entre si ou se a disputa será entre jogador e jogo.

Por campanha/infinito. De modo geral, muitas pessoas acham que, por definição, um aplicativo gamificado deveria ser sem fim. Porém, frequentemente o objetivo é instilar um novo hábito ou ensinar uma nova habilidade ao indivíduo. Nesse sentido, esses aplicativos gamificados devem ter um fim natural. Um bom exemplo está nas soluções voltadas para o ensino; o aprendizado é sem fim, mas o treinamento em habilidades específicas se resolve por meio de campanhas com duração e fases específicas. Cursos de treinamento apresentam, portanto, um término natural depois que todas as etapas foram completadas e o conteúdo foi adquirido pelo participante. No entanto, a gamificação de um sistema de gerenciamento de aprendizado provavelmente será posicionada como um jogo sem fim, tendo em vista que os treinamentos são atividades contínuas e constantes nas empresas.

***Emergent gameplay*/Roteirizado.** Como discutido anteriormente, alguns aplicativos gamificados são mais adequados a jogos com roteiros pré-definidos, enquanto outros são mais apropriados para jogos denominados *emergent gameplay* – considerados melhores quando os resultados são desconhecidos, como ocorre em **soluções de inovação**. O fato é que em soluções emergentes, os *designers* se concentram mais no ambiente do jogo, criando toda a estrutura para o *emergent gameplay*, ou seja, para diferentes situações, conforme a interação do jogador.

Já em situações em que o resultado já é previsto, **jogos roteirizados** são a opção ideal. Tanto na mudança comportamental como nas soluções de treinamentos, o resultado já é conhecido – sabemos exatamente o que desejamos que os jogadores alterem ou aprendam, portanto, os *designers* se concentram mais na jornada de cada participante.

PASSO NÚMERO CINCO: DEFINA O AMBIENTE DE JOGO E PLANEJE A JORNADA

Agora que os objetivos para a solução já foram determinados, a equipe de Jessica começou a conceitualizar sua aparência. Eles precisam tomar decisões a respeito da abordagem que irão utilizar, as plataformas que serão usadas e o modo como ela irá envolver os clientes. Como deve se lembrar, os objetivos da solução são:

1. Pesquisa de qualidade por meio de *crowdsourcing*.
2. Ampliação do conhecimento do investidor.
3. Recompensa dos *melhores contribuidores*.

A pesquisa de qualidade por meio de *crowdsourcing* e a recompensa aos melhores contribuidores representam mudanças comportamentais, e o espaço do jogo para influenciar tais comportamentos é a própria plataforma Yakker. Esta será customizada para permitir que os jogadores reconheçam e recompensem os usuários cujo desempenho for melhor, e incluirá filtros que ajudarão os usuários a identificar pesquisas de qualidade. A YakTrade já possui quantidade considerável de informações sobre seus clientes – suas ações, o desempenho de seu portfólio de investimentos e as empresas que estão seguindo. Para proteger a confidencialidade dos clientes, esse tipo de informação pode ser fornecida como um percentual do portfólio completo, sem incluir valores em dinheiro. Essa informação aparece privada na plataforma, mas pode se tornar pública por decisão do próprio cliente. Também é possível à equipe decidir modificar a lista de observação para capturar recomendações (compra, manutenção e venda) e preços pretendidos para as ações que estão mantendo e seguindo. Eles também irão ampliar o perfil dos clientes para permitir que estes descrevam suas estratégias de investimento e suas ferramentas primárias para tomada de decisões na seleção de investimentos (por exemplo, análises gráficas técnicas, indicadores de expectativas econômicas, avaliação de ações, recomendações de analistas ou qualquer outra fonte segura). Além disso, informações podem ser compiladas em toda a base de dados para avaliar recomendações por diferentes ações. Por exemplo, se mil clientes estão seguindo o Google, a Caterpillar ou a Citigroup, a média de recomendação e o preço pretendido podem se tornar disponíveis para os investidores.

Os investidores também terão a possibilidade de buscar pessoas com objetivos similares de investimentos para determinar a quem devem seguir com base no sucesso desses indivíduos. Participantes que seguem outro investidor são notificados quando este faz alguma mudança em sua carteira de produtos ou em suas recomendações. A partir de uma perspectiva técnica, essa é uma mudança simples que permitiria aos clientes expor, ou não, informações que já existem conforme opção pessoal.

A ampliação do conhecimento dos investidores representa um objetivo de desenvolvimento de habilidades, e a YakTrade já possui a plataforma Yakademy que oferece vídeos instrutivos sobre aspectos básicos dos investimentos. Entretanto, o número de pessoas que assiste a essas lições é reduzido. Tom e Mike não conseguiam compreender a razão pela qual o material disponível não era utilizado. Em projetos anteriores, Jessica aprendeu que realizações somente se mostram valiosas quando são difíceis de obter. Assistir passivamente aos vídeos era algo muito fácil. Agora, a plataforma será modificada para estruturar as lições em ordem lógica e progressiva. Para cada vídeo haverá um teste do conteúdo apresentado. Os usuários terão de passar nessas avaliações antes de terem acesso ao vídeo seguinte. No entanto, apesar de os testes

> assegurarem que o interessado realmente compreendeu o conteúdo, seu verdadeiro propósito é confirmar que o indivíduo usou a plataforma. Para levar o aprendizado a um novo patamar, a equipe também criará questões relativas a estudos de caso que exigirão respostas dissertativas que demonstrarão o completo entendimento do material pelo aluno. Outros aprendizes serão solicitados a dar notas para as respostas de seus colegas a fim de permitir a avaliação de seus próprios estudos de caso. Dessa maneira, a verificação pelo colega é usada como controle de qualidade ao longo do aprendizado.

Os *designers* de aplicativos gamificados devem determinar tanto o espaço do jogador quanto a jornada a ser percorrida por ele. Esse espaço de jogo pode ser virtual e existir somente dentro de uma rede de computadores, como vimos no caso da Khan Academy; também pode ser uma combinação entre os ambientes virtual e real, como no Nike+. A jornada é o caminho definido que os jogadores devem tomar visando a solução.

O espaço de jogo. Trata-se do ambiente oferecido aos jogadores para que eles se envolvam tanto com o próprio jogo quanto entre si. Em contraste com os *videogames*, a maioria das soluções gamificadas não apresenta mundos virtuais elaborados com animações de alta qualidade, simulações e avatares. Na verdade, a maior parte oferece soluções bastante básicas, capazes de apresentar o perfil dos jogadores, seu progresso e todas as ferramentas necessárias para que eles se engajem na solução. Por exemplo, a Khan Academy oferece aos jogadores um perfil, *links* para os vídeos de treinamento ordenados por tópicos, exercícios para desenvolver e testar as habilidades adquiridas, além de um espaço onde os professores podem observar como os alunos estão progredindo. Não há muito que faça a plataforma parecer com um *videogame*; isso não é uma crítica, apenas tem por objetivo demonstrar que elementos similares àqueles dos *videogames* **não são necessários para manter os jogadores envolvidos.**

Os jogos de inovação com frequência oferecem rico conjunto de ferramentas para os jogadores usarem. A Quirky, por exemplo, disponibiliza um espaço para a exposição de ideias, a votação em sugestões alheias e ainda fornece informações para ajudar nas pesquisas de mercado quanto ao *design* de produto, às cores, aos materiais, aos acabamentos, aos nomes e à precificação. Por ser impossível saber o resultado de soluções inovadoras, a ênfase é dada ao espaço do jogador, não à jornada. Em soluções como essas, o caminho do jogador se concentra mais nas atividades que atraiam participantes para que estes se familiarizem com o espaço, antes de liberá-los para inovar.

A jornada do jogador. Ela descreve o caminho que os jogadores escolhem para a solução. Os *designers* precisam manter o envolvimento dos competidores equilibrando cuidadosamente os desafios e as habilidades deles ao longo do processo, do momento em que entram no jogo até o instante em que rumam para níveis mais avançados (ver Figura 7.2).

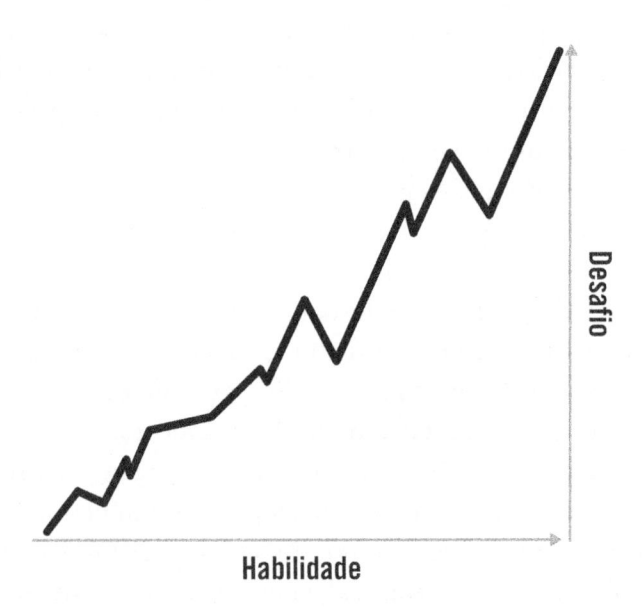

Figura 7.2: Jornada do jogador

As soluções gamificadas são projetadas para apresentar aos jogadores uma série de ações ou ciclos de engajamento sobre os quais eles precisam ter domínio total. Cada tentativa de completar a ação é respondida com algum tipo de *feedback* (seja ele positivo ou negativo), em reconhecimento aos esforços do jogador. As ações devem ser desafiadoras para o jogador, entretanto, também precisam ser alcançáveis considerando o nível de habilidade individual. Com frequência, essas ações são agrupadas em missões ou desafios que os jogadores têm de completar para ganhar um distintivo, seguir para o próximo nível ou receber alguma forma de reconhecimento.

PASSO NÚMERO SEIS: DEFINA A ECONOMIA DO JOGO

A equipe de Jessica começou a trabalhar em um sistema de pontos e recompensas que irá motivar os jogadores a usar a comunidade e seus recursos para ajudá-los a atingir suas metas de investimentos individuais. Muitas dessas realizações estarão relacionadas ao desempenho da carteira de investimentos, portanto, a motivação já existe; só falta o reconhecimento. Contudo, em outras áreas os clientes precisam ser motivados a fazer coisas que nunca fizeram, como recomendar ações ou assistir a um treinamento. A equipe deve ser criativa ao definir recompensas que sejam ao mesmo tempo bastante desafiadoras e valiosas para os participantes. Uma chave para a solução é tornar visível o conhecimento dos membros com melhor desempenho a toda a comunidade. Para fazê-lo, serão usados painéis de liderança com a indicação dos "mais eficientes" para mostrar sua performance em diferentes períodos. Também serão apresentados painéis indicando os "sinalizadores" – os membros que possuem mais seguidores. Desse modo, uma investidora relativamente iniciante, como Amanda, poderá determinar com rapidez quem ela deve seguir para tomar decisões mais adequadas a seus investimentos.

Enquanto os painéis de liderança reconhecem os indivíduos com melhor desempenho, a equipe também precisa reconhecer as realizações de cada jogador. Aproveitando uma lição dos Escoteiros e das Bandeirantes, eles decidem e optam por distintivos como sistema primário de recompensa. Porém, reconhecendo que as insígnias por si só têm pouco valor, a equipe precisa se assegurar de que elas sejam significativas para os jogadores. A estrutura montada oferece alguns distintivos facilmente alcançáveis logo no início da participação para encorajar os membros a usarem o sistema. Essa parte inclui assistir a cinco vídeos e completar o teste. Todavia, o grau de desafio logo é aumentado, o que complica bem mais o alcance

> dos níveis mais elevados. Isso torna esses distintivos mais escassos e, por conseguinte, mais desejáveis (você se recorda do prendedor que tentei conseguir logo no início desse livro, na competição de esqui?). Exemplos de níveis mais desafiadores incluem distintivos para indivíduos que se saiam extremamente bem nos estudos de caso.
>
> Embora um bom desempenho no portfólio seja em si um tipo de recompensa, a equipe decidiu atribuir distintivos chamados "Top Gun" a resultados extraordinários nas carteiras, outorgados a clientes que tenham alcançado um crescimento que os tenha posicionado entre os 10% dos melhores investidores da comunidade ao longo de um ano; "Long Tail" (Cauda Longa) para aqueles bem-sucedidos em selecionar ações de baixa capitalização que surpreendam os investidores; e o cobiçado distintivo "Pro"(Profissional), para portfólios que tenham apresentado um superdesempenho por períodos de cinco anos, conforme o índice S&P 500.*
>
> Para encorajar as pessoas a fazer recomendações, a equipe criou distintivos específicos para seguidores de dez, vinte ou trinta empresas. No futuro, as recomendações serão classificadas conforme o desempenho, para recompensar os clientes que conseguirem prever corretamente os vencedores.

Jogos, programas de recompensa e soluções gamificadas, todos possuem uma espécie de economia no próprio jogo, embora ela tipicamente não se baseie em dinheiro. Ela é composta de incentivos e recompensas que os jogadores recebem por **serem bem-sucedidos na realização de tarefas,** na superação de desafios ou no alcance de objetivos. É fundamental compreender as metas e motivações dos jogadores para criar uma economia de jogo que implemente um *design* centrado no jogador. Como discutido no Capítulo 1, *videogames* geralmente usam recompensas **não tangíveis** que **divertem** e **atraem** os jogadores. Programas de recompensa representam uma troca de valores na qual os jogadores recebem premiações mais tangíveis por realizarem tarefas valorizadas pela organização. Como sabemos agora, uma das principais distinções dos aplicativos ga-

---

* Índice composto por quinhentos ativos qualificados por seu tamanho, sua liquidez e sua representação no mercado. As letras S&P se referem à empresa de consultoria financeira Standard & Poors. (N.T.)

mificados é o uso calculado de gratificações intrínsecas para criar uma experiência significativa para os jogadores.

Há quatro moedas básicas que os jogadores podem acumular ao participarem de economia de jogos – **divertimento, elementos tangíveis, capital social** e **autoestima**, e elas são implementadas na forma de mecânicas de jogo, como pontos, distintivos e posição em um placar. Tais mecânicas são simplesmente símbolos de diferentes tipos de moeda de motivação aplicadas para recompensar os jogadores.

- O divertimento é a moeda principal nos jogos.
- Elementos tangíveis representam a moeda primária dos programas de recompensa.
- Autoestima e capital social são as recompensas primordiais das soluções gamificadas.

É importante observar essas orientações em vez de critérios rígidos. Os jogos usam a autoestima e o capital social como parte de sua economia de jogo – os jogadores superam níveis, ganham poderes e reconhecimento ao longo de todo o jogo. Os programas de recompensa também utilizam a autoestima – você se lembra de que a mais importante recompensa para o personagem Ryan Bingham no filme *Amor Sem Escalas* era ter seu nome inscrito na fuselagem de um avião!!! A BBVA usou prêmios (elementos tangíveis) em sua solução gamificada, do mesmo modo que a Samsung Nation. É melhor ser adepto do pragmatismo que do purismo. Às vezes os jogadores precisam de **recompensas tangíveis** para se envolver em algumas tarefas que não apresentam **valor intrínseco** para eles mesmos. Além disso, alguns dos aspectos de divertimento dos jogos podem criar uma experiência mais envolvente para os participantes. Os objetivos e as motivações naturalmente guiarão os *designers* a usar recompensas na forma de autoestima e capital social, entretanto, esses profissionais também deveriam estar abertos ao uso de outros tipos de gratificação para envolver os jogadores quando necessário (veja a Figura 7.3)

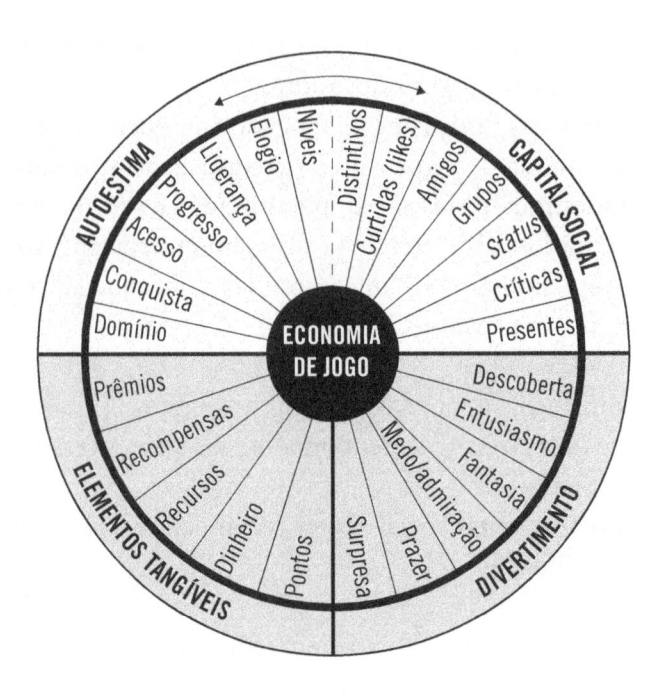

Figura 7.3: Economia de jogo

Divertimento. Embora raramente utilizado em aplicativos gamificados, nos *videogames*, elementos simples de diversão formam grande parte da economia de jogo. Os *videogames* apresentam um visual repleto de luzes e sons que tornam a experiência de jogar estimulante e excitante. Visuais gráficos avançados e roteiros interessantes fazem os jogadores sentir como se estivessem salvando o mundo ou vencendo uma batalha épica. Como vimos no exemplo do *Esquadrão da Dor*, um enredo apresentando um esquadrão policial foi usado para causar motivação. Estes são elementos importantes no *design* de jogos. A maior parte da mecânica dos jogos exerce impacto passageiro na economia de jogo – ele, com frequência, não é duradouro nem oferece recompensas tangíveis. Nos aplicativos gamificados, o uso mais comum do elemento diversão surge na forma de gratificações surpresa – recompensas inesperadas e aleatórias que envolvem os jogadores pela sensação de que nunca terão certeza do que irá acontecer no instante seguinte. Já vimos um exemplo disso como programa de treinamento da NTT Data, que usava perguntas surpresa preparadas por gerentes-seniores para encorajar os usuários a entrarem no sistema com regularidade.

Elementos tangíveis. Essa moeda inclui os itens físicos que podem ser coletados e às vezes trocados dentro da própria solução. Em geral, são implementados como pontos a serem transformados em dinheiro ou prêmios. Elementos tangíveis são realmente o reino dos programas de recompensa, mas, às vezes, são usadas em aplicativos gamificados. Entretanto, com bastante frequência, os *designers* não dispõem da criatividade nem da clara compreensão dos objetivos e das motivações do jogador. Como sabemos, a maioria dos programas de recompensa utiliza elementos tangíveis como moeda em suas economias.

Autoestima. Como aprendemos com o autor Dan Pink, autonomia, domínio e propósito são motivações intrínsecas primárias, e aplicativos gamificados usam várias mecânicas de jogos distintas para reconhecer os feitos dos participantes e parabenizá-los, elevar suas categorias, oferecer acesso exclusivo a serviços ou presenteá-los com distintivos que celebram suas realizações. Todas essas gratificações operam para elevar a autoestima do jogador e mantê-lo envolvido no jogo.

Capital social. As pessoas são motivadas quando outras de seus círculos sociais reconhecem suas realizações. *Designers* de aplicativos gamificados podem motivar os participantes por meio de reconhecimento via gratificações dentro do aplicativo. Em geral, esse círculo social inclui outros jogadores quando a interação faz parte da própria solução. Entretanto, também é possível estender tal motivação a redes externas, como o Twitter, o Facebook e/ou o LinkedIn, e, assim, ampliar o impacto desse reconhecimento. Por exemplo, aplicativos gamificados como o *Vail EpicMix* podem estar ligados ao Facebook e postar os feitos dos usuários da plataforma em seus murais (desde que autorizado por eles). O capital social é um motivador poderoso e inclui recompensas como *status*, reconhecimento dos colegas pelas contribuições dos jogadores ou por outras realizações do participante.

AMPLIANDO A MOTIVAÇÃO COM AS MÍDIAS SOCIAIS

Ao gamificar a YakTrade, Jessica e a equipe da Keleftic usaram a plataforma Yakker de uma maneira que extrapolou e muito seu propósito original – criar um ambiente para engajar os clientes ao longo de uma jornada rumo a investimentos mais bem-sucedidos. Hoje a Yakker é bem mais que apenas um lugar para discutir investimentos, porque se tornou uma plataforma para identificar quais membros da comunidade estão fazendo as melhores escolhas de investimentos e oferecendo contribuições mais valiosas aos demais participantes. Ao acrescentar recompensas e reconhecimento dinâmicos, o aplicativo se tornou mais envolvente fazendo que até mesmo pessoas como Daniel se sintam interessadas em compartilhar suas estratégias de investimento. O utilitário também alcançou o efeito desejado de diminuir a ênfase de conselhos ruins e boatos como os distribuídos por pessoas como Robert. Ao considerar a reputação, a plataforma reduz automaticamente contribuições negativas como as oferecidas por Robert e outros usuários como ele – essas pessoas deixaram de operar como centrais distribuidoras de conselhos inadequados e falsos rumores e se transformaram em vozes solitárias ouvidas somente por um pequeno grupo de indivíduos. Hoje, os usuários de melhor desempenho são as estrelas da comunidade, e oferecem sugestões valiosas aos clientes menos esclarecidos.

Os seres humanos são **animais sociais**. Desde o dia em que nascemos nos tornamos dependentes de familiares e amigos para crescer, alcançar sucesso e, inclusive, para sobreviver. Como animais sociais colaboramos e competimos dentro de nossas redes para desenvolver habilidades, atingir objetivos e até mesmo selecionar um parceiro. Somos profundamente impactados por e dependentes de nossas **redes sociais**, contudo, a natureza dessas redes mudou de maneira definitiva. Não estamos mais limitados pela realidade física a um círculo de amigos de nossa cidade, escola, trabalho, clubes ou até mesmo de templos religiosos. Hoje, somos capazes de manter **círculos de amizade virtuais**, usando apenas as plataformas de mídia social para tanto.

Os melhores aplicativos também se concentraram em conectar pessoas e, com mais de 1 bilhão de usuários, o Facebook mudou para sempre o modo como elas interagem e se envolvem entre si. Como plataforma de engajamento, o Facebook oferece oportunidades incomparáveis de conexão e compartilhamento de dados com os amigos que nos são mais importantes. Todavia, enquanto o Facebook é a rede mais proeminente no âmbito social, existem várias outras às quais nos conectamos e que ostentam caráter mais profissional ou empreendedor, como o LinkedIn e a Yammer, respectivamente, que também exercem papéis importantes na conexão interpessoal.

As redes sociais oferecem uma janela para nossa personalidade; são lugares onde podemos compartilhar nossos comentários, artigos e também nossas fotos – qualquer coisa que consideremos interessante para nossa rede de amigos. A personalidade *on-line* que criamos exerce forte impacto sobre o modo como nossos amigos nos veem. Usuários do Facebook reconhecem a sua surpresa ao ficar sabendo que seu primo é fascinado por óperas ou que seu velho amigo de escola está tirando brevê. **Quem poderia imaginar que essas pessoas tinham esses objetivos guardados dentro delas?** Na verdade, o reconhecimento social das nossas realizações é um motivador poderoso. Uma vez que tanto a gamificação quanto as redes sociais envolvem as pessoas primariamente em nível emocional, existem ligações claras e complementares entre ambas.

Cada vez mais, as pessoas estão compartilhando suas realizações nas redes sociais. Recentemente, o LinkedIn acrescentou **certificações, tributos, premiações** e **publicações,** entre outras realizações, para ajudar seus membros a construírem suas **marcas pessoais.** As redes sociais oferecem meios virtuais similares à colocação de um diploma na parede do seu escritório ou um troféu sobre uma prateleira. Elas funcionam como um megafone para seus feitos, que já não se limitam ao espaço físico. As soluções gamificadas permitem aos usuários postarem suas realizações em *sites* de redes sociais, o que, por sua vez, permite que essas pessoas impulsionem suas marcas. Como afirmou Paul Wilmore da Barclaycard: "Quando as pessoas alcançam *status* mais elevados nas comunidades, outros membros as parabenizam."

PASSO NÚMERO SETE: TESTAR E REPETIR

Jessica e a equipe da Keleftic reconhecem ser improvável que na prática tudo funcione perfeitamente como na teoria, então, por isso sempre montam um grupo focal para testar a solução. À medida que desenvolve os roteiros para os novos aplicativos das plataformas Yakker e Yakademy, a equipe testa com o grupo focal para obter seu valioso *feedback*. Uma vez que a gamificação é incorporada às soluções, a equipe realiza o primeiro teste com essas pessoas, inserindo, na sequência, as sugestões oferecidas. Em seguida, o time roda o programa em um ambiente fechado que conta com apenas 5% de todos os clientes da YakTrade. Ao capturar os dados relativos às interações entre os clientes nesses ciclos de engajamento, a equipe consegue visualizar o que funciona e/ou não funciona, e, então, pode fazer os ajustes necessários, para finalmente lançar o produto. Mesmo depois disso o trabalho continua com a incorporação de mudanças baseadas no feedback dos clientes e o acréscimo de outras facilidades. Pelo fato de o objetivo da solução ser de envolvimento de longo prazo, ocorrerão atualizações periódicas, com novos desafios e realizações para assegurar que os participantes se mantenham envolvidos.

Os *videogames* possuem uma abordagem de desenvolvimento que pode levar anos e custar milhões de dólares. Ela engloba desde os estágios iniciais de idealização, financiamento e preparo para produção até o início da produção e, finalmente, as etapas de *marketing* e distribuição. O produto é, então, lançado com grande alarde. Se as vendas iniciais são boas, o jogo pode se tornar um sucesso, e, nesse caso, todo o esforço e o dinheiro investidos terão valido a pena. Desenvolver um *videogame* representa uma empreitada de longo prazo, alto risco e gastos elevados.

Frequentemente, as pessoas partem para uma iniciativa de gamificação com a ideia pré-concebida de que será o mesmo que desenvolver um *videogame*. Ou seja, elas acreditam que o ciclo de desenvolvimento será longo até que o produto seja entregue. Na verdade, a gamificação normalmente não funciona dessa maneira. Ao contrário do que ocorre com jogos de console, na gamificação o produto nunca está terminado. Ele continuará a se desenvolver por muito tempo depois de ser lançado. De fato, a entrega inicial de uma solução gamificada deveria incluir somente os atributos necessários para envolver o público-alvo e atender aos objetivos da empresa.

As soluções gamificadas devem evoluir com o tempo e acrescentar novas funcionalidades para se manter inovadoras e engajar os usuários de maneiras diferentes. A partir do dia de lançamento, você começará a aprender muito sobre seu público-alvo e o modo como as pessoas interagem com a solução. Tal conhecimento norteará o progresso da solução ao longo do tempo.

Embora tenhamos examinado amplamente a motivação pela perspectiva teórica, na prática é difícil prever o que realmente vai estimular as pessoas. Entre projetar um aplicativo gamificado na teoria e alcançar sucesso com ele há **enorme diferença**. Apesar de a abordagem descrita neste livro ajudar a evitar alguns dos maiores problemas no *design* de aplicativos gamificados, não espere um resultado perfeito logo da primeira vez que tentar. Soluções gamificadas são desenvolvidas de maneira interativa. Use um grupo de participantes para pilotar o projeto e oferecer *feedback* ao longo de todas as fases de *design* e desenvolvimento. Os primeiros conceitos podem ser testados na forma de *storyboard* (quadros com cenas individuais que juntas formam uma história), como vimos com o *Esquadrão da Dor*.

Nos casos em que a solução será aplicada a um público bastante numeroso, um lançamento incremental que exponha a solução apenas a um pequeno percentual de clientes permitirá que sejam feitos ajustes adicionais antes que ela seja disponibilizada a todos.

Reúna dados sobre todas as interações entre jogadores que ocorrerem na plataforma, pois, uma vez lançada a solução gamificada, essas informações se revelarão valiosíssimas para determinar que ciclos de engajamento estão funcionando e quais não estão. Isso vai permitir que você ajuste o aplicativo com o tempo, modificando aqueles aspectos da solução que não estejam envolvendo os participantes.

RESUMO

✓ O **modelo de engajamento** dos jogadores direciona o modo como eles vão interagir tanto com a solução quanto com os outros participantes. Ele também determina a estrutura de recompensa e o ciclo de envolvimento.

✓ A maioria das **soluções gamificadas não se parece com** *videogames*. Na verdade, elas são implantadas como uma camada superficial que utiliza a mecânica de jogos para revestir atividades que, em geral, são executadas no mundo real.

✓ A jornada do jogador apresenta aos participantes uma **série de ações** e **ciclos de engajamento** que devem ser superados para que eles possam avançar para a fase seguinte.

✓ A **economia do jogo** deve estar **alinhada** com os objetivos e as motivações dos participantes para oferecer recompensas – divertimento, elementos tangíveis, capital social ou autoestima – aos jogadores que realizem as tarefas de maneira bem-sucedida, superando desafios e alcançando metas.

✓ A **integração** com as **mídias sociais** permite o reconhecimento dos feitos dos jogadores por outras redes e atua como um poderoso amplificador de motivação.

✓ Diferentemente do que ocorre com os *videogames*, as **soluções gamificadas** devem **evoluir ao longo do tempo** para acrescentar funcionalidades, engajar o público-alvo de novas maneiras e manter o ambiente sempre renovado.

Capítulo 8
Erros comuns de projeto

Recentemente conversei com um cliente que comercializa *softwares*, e queria gamificar o sistema de oferta de seus produtos. Sua afirmação na abertura foi: "Só precisamos adicionar alguns pontos e distintivos, o que parece fácil." De fato, no que se refere à questão técnica, a gamificação é um problema cuja solução é simples e, neste sentido, a perspectiva dele – idêntica a de um grande número de pessoas – está correta. Todavia, como você já está apto a compreender, o **desafio da gamificação é projetar/desenhar a experiência do jogador, não a tecnologia**. Muitas organizações seguem adiante sem entender a natureza do desafio, e muitas delas irão fracassar. Essas soluções falham por conta de três razões primárias:

1. Os **resultados comerciais** não foram claramente **definidos**.
2. A solução gamificada foi projetada para alcançar os **objetivos organizacionais**, não dos jogadores.
3. A solução envolve as pessoas em um **nível transacional**, não emocional.

Tendo chegado até aqui neste livro, já é possível para o leitor apreciar tais questões, portanto, não iremos mais explorá-las. Neste capítulo, discorreremos sobre falhas menos comuns, mas que, ainda assim, são importantes e precisam ser evitadas no desenvolvimento de soluções gamificadas.

FALHANDO NA ADMINISTRAÇÃO DA ECONOMIA DO JOGO

As mesmas forças que se aplicam a economias reais também são adequadas a **economias de jogo**. Todos os jogos possuem economias, e os pontos, distintivos e prêmios usados na gamificação abrigam valores intrínsecos. *Designers* de aplicativos gamificados determinam o "suprimento de dinheiro" na economia do jogo. Se eles inundarem o jogo com distintivos facilmente atingíveis, estes **serão desvalorizados** para os jogadores que já os possuem. Em contrapartida, se aumentarem os níveis de pontuação necessários para alcançar os objetivos, introduzirão no jogo o elemento **inflação**. Em soluções gamificadas, pontos não resgatados representam valores não percebidos pelos jogadores, o que pode gerar uma economia de jogo desequilibrada. Os jogadores devem se sentir motivados a usar seus pontos para demonstrar que percebem o valor deles.

Designers de soluções gamificadas precisam estar cientes de seu impacto sobre os jogadores caso façam mudanças na economia do jogo. Uma das atrações fundamentais da gamificação é o fato de ela oferecer transparência. É, portanto, desmotivador efetuar qualquer alteração que tenha impacto negativo sobre os jogadores. Estes sabem que recompensas podem esperar pelo esforço investido. Reformular a economia do jogo prejudica a confiança, o que, por sua vez, afeta o envolvimento dos participantes. Embora você não precise ser um economista para cuidar da economia de jogos, é fundamental estar ciente do impacto que irá causar ao efetuar mudanças nesse tipo de economia.

SALTANDO PARA O FINAL DO JOGO

As pessoas adoram atalhos. **E quem poderia condená-las por isso?** Por que ter todo o trabalho de realmente compreender as motivações e os objetivos dos jogadores quando é possível estimular as pessoas a agirem oferecendo-lhes itens gratuitos, como distintivos? Praticamente todos os dias converso com clientes que ouviram o burburinho em torno da gamificação e concluíram que se trata de algo rápido, fácil e eficiente. Tudo que precisam fazer é acrescentar alguns distintivos ao aplicativo e logo conseguirão que as pessoas façam o que eles desejam. Porém, eles estão deixando de perceber a parte central da questão. Ao saltar daquilo que a organização deseja atingir para o modo como ela irá recompensar os participantes que o fizerem vai contra a própria razão da existência desse tipo de solução. Aliás, essa seria apenas a rota mais rápida para o fracasso.

Como aprendemos nos capítulos anteriores, a gamificação bem-sucedida é um processo. Ele envolve o trabalho árduo e prolongado de compreender verdadeiramente o público-alvo, suas motivações e seus objetivos. Não há como conseguir tal conhecimento sem investir tempo no conhecimento dos jogadores. Você poderia tentar adivinhar, mas, neste caso, estaria mesmo só adivinhando.

A empresa Google tentou adivinhar e, aparentemente, errou. Em julho de 2011, a companhia introduziu os "Novos Distintivos Google." A ideia era engajar os leitores das Notícias Google permitindo a eles que mostrassem "quão vorazes eles eram como consumidores de notícias ao oferecer-lhes novos distintivos à medida que lessem artigos sobre tópicos de seu interesse. Quanto mais o participante lesse mais, mais elevado o nível do distintivo outorgado, começando pelo de bronze e então com os de prata, ouro, platina e, por fim, o Supremo."[1] O Google ofereceu mais de 500 distintivos para cobrir diferentes tópicos em níveis distintos, e eles também poderiam ser compartilhados com amigos "para dizer a eles quais são seus interesses, demonstrar seu nível de expertise, iniciar uma conversa ou até para se gabar do quanto você lê."

Infelizmente, esse projeto específico parecia desde o início fadado ao fracasso. Não estava claro para os leitores por que deveriam valorizar esses distintivos. Aquilo não parecia alinhado com as motivações das pessoas, tampouco representava o alcance de qualquer objetivo significativo. Talvez a própria Google tenha chegado à mesma conclusão, afinal, o fim do programa foi anunciado em apenas 15 meses.[2]

A Medalha de Honra é o grau mais elevado de reconhecimento militar outorgado pelo serviço milita norte-americano, e sempre é concedido pelo presidente dos EUA a indivíduos que tenham praticado atos de valor, acima e além de sua responsabilidade. Todavia, ainda é apenas outro distintivo. Pontos, insígnias e níveis são alguns exemplos entre as inúmeras mecânicas de jogos que são usadas na gamificação, mas representam progresso e realização. Eles não são em si mesmos a realização, somente marcos na jornada rumo ao conhecimento. Uma das falhas da gamificação é sua tendência em se concentrar nos pontos, distintivos e placares em vez de nos feitos significativos que estes visam premiar.

SENDO INAPROPRIADAMENTE COMPETITIVO

Como discutimos no capítulo anterior, a maioria das soluções gamificadas são mais bem posicionadas com a utilização de modelos de engajamento colaborativos que competitivos. Uma vez que muitas pessoas consideram a gamificação como uma extensão dos jogos, esse equívoco na interpretação de que a gamificação é um elemento competitivo se espalhou. Como descobrimos no Capítulo 1, o **objetivo primário** da gamificação é **motivar as pessoas** – em geral, o maior número possível. Em contrapartida, o **principal objetivo** dos jogos é **entreter** ou agradar as pessoas. Em jogos de igual para igual, quase sempre há um vencedor claro. Na gamificação, geralmente queremos que **todos saiam vencedores**. Isso se torna óbvio nas soluções gamificadas de treinamento que tentam ajudar as pessoas a aprenderem. E também se aplica naquelas soluções voltadas para a promoção de mudanças comportamentais, que estimulam todos a adotares uma nova maneira de agir.

Há algumas exceções em que estruturas híbridas competitivas e colaborativas podem se revelar eficientes, na maioria das vezes em soluções de inovação. As mais comuns ocorrem quando os jogadores formam equipes e colaboram entre si, mas, ao mesmo tempo, competem com outros times. Tal estrutura é útil porque cria pressão por parte dos colegas para que todos os participantes deem o melhor de si na equipe. Soluções de inovação são a exceção na gamificação, aquela em que jogos competitivos produzem os resultados desejados. Nas soluções de inovação o objetivo é, com frequência, selecionar a **"melhor" solução** e, portanto, deve haver somente um vencedor. Neste sentido, jogos competitivos tornam-se apropriados.

Examinemos a seguir um caso em que a competição direta se mostra adequada na gamificação. Ao longo de muitos anos a Agência de Projetos de Pesquisa Avançada do departamento de Defesa dos EUA (DARPA, na sigla em inglês) tem utilizado competições (grandes desafios) para desenvolver novas tecnologias. O vencedor dessas provas é recompensado com um prêmio em dinheiro e, mais importante, com o prestígio que acompanha a vitória. Enquanto escrevia este livro, a DARPA estava realizando um desafio na área de robótica, "para promover pesquisas e desenvolvimento pioneiros e revolucionários para que no futuro os robôs sejam capazes de desempenhar as atividades mais perigosas em operações de resposta a desastres, em conjunto com os seres humanos, e assim reduzir o número de mortes, evitar maior destruição e salvar vidas."[3] As equipes participantes vem das mais prestigiadas universidades, da NASA e de empresas especializadas na área de defesa. O prêmio para a equipe vencedora era de US$ 2 milhões. Uma vez que o objetivo da DARPA é desenvolver tecnologias avançadas e seleciona a "melhor" entre todas, usar uma estrutura gamificada competitiva faz todo o sentido.

Apesar de jogos competitivos e que envolvam disputas serem adequados para solucionar alguns problemas, há inúmeras soluções em que isso é usado, embora totalmente inapropriado. Jogos competitivos podem se mostrar altamente envolventes para os melhores jogadores, mas se tornar desinteressantes ou até desmotivadores para todos que não fazem parte do seleto grupo de vencedores. Isso acontece muito em competições na área de vendas, nas quais os participantes com melhor desempenho são premiados com viagens a locais exóticos. Tal estrutura pode criar uma intensa concorrência entre os vendedores que já apresentam ótimos desempenhos, mas não ajuda muito a incentivar profissionais medianos e aqueles cujo rendimento é baixo, onde a oportunidade de aumentar as receitas gerais seria bem maior.

CRIANDO DESEQUILÍBRIOS ENTRE HABILIDADES/DESAFIOS

O jogo *Angry Birds* (*Pássaros Furiosos*) é bem simples. Os jogadores deparam com um pássaro já posicionado em um estilingue. A única coisa a fazer é puxar o elástico com o *mouse* e arremessar o pássaro. A ave voa pelo ar contra uma pilha de objetos. Se você tiver a sorte de atingir o alvo logo na primeira estilingada, alguns desses objetos caem e os pontos aparecem na tela. Já no segundo tiro você descobre que é possível mirar antes de soltar o elástico. Parabéns, você acaba de aprender a jogar!

Como a maioria dos melhores *videogames*, *Angry Birds* não vem com um extenso manual que precisa ser lido antes de o jogador se arriscar. Porém, os videogames podem se revelar extremamente complexos, mas os desafios crescem ao longo do próprio jogo. Os jogadores são ensinados a jogar ao deparar-se com ações óbvias que devem ser realizadas. Criar experiências simples de adesão é algo que os *videogames* fazem extremamente bem, e algo com o qual os *designers* de soluções gamificadas podem aprender muito.

Um dos desafios comuns nas soluções gamificadas é que aprender a jogá-las em geral é complicado, portanto, sustentar o envolvimento se torna difícil. Os jogadores deveriam aprender como se engajar na solução dentro da própria solução. Os primeiros passos têm de ser óbvios e as primeiras realizações fáceis de alcançar. Os jogadores precisam sentir que estão conseguindo algo logo no início.

No Duolingo, jogadores nativos da língua inglesa que tentam aprender espanhol deparam com frases que precisa ser completadas, do tipo: "*Soy un/una hombre*." Todos os participantes começam tendo de escolher o artigo correto, portanto, há uma chance de 50% de acertarem. Se você escolhesse "*una*" estaria errado, mas seria bem fácil deduzir que "*un*" seria a alternativa correta. Parabéns, você aprendeu algo logo de cara. Acerte e ganhe alguns pontos!

Sustentar o envolvimento requer a capacidade de manter o equilíbrio entre as habilidades dos jogadores e os desafios apresentados. No Duolingo, como em muitos exemplos já mostrados, as soluções se tornam bastante complexas com o tempo e continuam a desafiar até os jogadores mais avançados. Mas são ótimos exemplos de como inserir as pessoas gentilmente em uma solução antes de adicionar desafios e um grau de complexidade excessivo antes que o jogador esteja preparado. Lembre-se, *designers* de soluções gamificadas precisam manter o equilíbrio entre a habilidade e o desafio, conforme os participantes avançam dentro da solução. O húngaro Mihály Csíkszentmihályi, professor e pesquisador na área de psicologia positiva, descreve o estado de uma pessoa totalmente engajada em uma atividade que mantém o equilíbrio entre habilidade e desafio como em situação de **"fluxo"**.[4]

MIRANDO DO PÚBLICO ERRADO

Um problema que costuma surgir em soluções gamificadas é **mirar no público-alvo errado**, com imagística e recompensas inadequadas. Por exemplo, se o seu público é formado por leitores de romance, oferecer-lhes ingressos para lutas de MMA ou corridas de *monster trucks* (caminhões com rodas gigantes) provavelmente não seria a melhor recompensa. Sua solução para promover a redução no uso de energia não deveria ser adornada com ursinhos fofinhos e peludos. Usar cavalos de corrida para representar seus funcionários em uma solução voltada para administrar o desempenho de cada um certamente enviará uma mensagem equivocada. Aliás, é provável que qualquer coisa que se assemelhe a FarmVille erre o alvo.

Podem haver várias razões para o desencontro entre a solução gamificada adotada e o público-alvo. As mais comuns são:

Desconhecer o público-alvo. Sem definir claramente as *personas* dos jogadores que serão o alvo, um desalinhamento entre contexto e estrutura de recompensas poderá ocorrer facilmente.

Atrair o público, qualquer que seja ele. Muitas organizações usam métricas como o número de visitantes individuais e total de atividade no *site* como indicadores-chave de engajamento. Essas medidas não são úteis se o público atraído não é aquele que adquire seus produtos. Em alguns casos, parece que soluções gamificadas são projetadas simplesmente para atrair qualquer pessoa.

Construir um jogo que você gostaria de jogar. Às vezes a solução gamificada não parecer estar alinhada com o público-alvo, mas projetada para atrair as pessoas que a idealizaram e construíram. É fácil cair na armadilha de montar um jogo que você mesmo gostaria de jogar e perder o foco no público-alvo.

É claro que a solução para problemas de desalinhamento entre aplicativo e público é única e direta. É preciso desenvolver uma compreensão mais profunda a respeito desse público-alvo, descobrir o que os motiva e também os objetivos dessas pessoas e, assim, projetar soluções que realmente as engajem no processo.

COMANDANDO A MOTIVAÇÃO

É mais provável que soluções gamificadas sejam bem-sucedidas quando os próprios jogadores aderem ao sistema. A despeito da qualidade das soluções, é **improvável** contar com a participação voluntária de **100% do público-alvo**. Algumas pessoas simplesmente não irão aderir. Embora isso não seja um problema para a maioria das soluções gamificadas, em alguns casos isso pode se revelar uma questão delicada.

A adesão se torna particularmente desafiadora no caso de soluções para funcionários nas quais a participação dessas pessoas é, em alguns casos, imposta por uma decisão superior da gerência, não pela escolha do empregado. Os tipos de solução mais afetadas nesse aspecto incluem soluções para treinamentos, mudanças administrativas e gestão de desempenho, nas quais a participação dos colaboradores é obrigatória.

Estudos recentes demonstraram que o compromisso por parte dos funcionários é um fator-chave para o sucesso da solução. Em um estudo de campo para determinar o impacto desse consentimento em uma solução de gestão de desempenho, concluíram os pesquisadores: "Descobrimos que quando as pessoas aderem naturalmente aos jogos, os efeitos positivos são maiores no ambiente de trabalho; porém, quando esse comprometimento não existe os efeitos são negativos, assim como o desempenho dos colaboradores."[5]

De modo ideal, soluções gamificadas não deveriam ser impostas sobre o público-alvo; em vez disso, os usuários deveriam ter a oportunidade de aderir a elas. A **participação obrigatória** pode levar a resultados negativos e, inclusive, fazer que pelo menos parte do público a ignore ou reaja negativamente à participação.

ACRESCENTANDO TRABALHO AO TRABALHO

Com frequência, a gamificação é implementada como uma fachada de jogo sobre um processo já existente. Na medida do possível, a mecânica de jogos deveria estar integrada de maneira transparente na solução que sustenta o processo, e não ser implantada como algo separado. Isso é particularmente importante em soluções voltadas para os funcionários. Por exemplo, se a solução gamificada está focada em encorajar a equipe de vendas a inserir informações de contato na solução de Gerenciamento de Relacionamento com o Cliente (GRC), a mecânica do jogo que rastreia a entrada dos contatos deve estar integrada à própria solução GRC, e não implantada como algo separado que exija que os profissionais dupliquem os esforços, acrescentando os mesmos dados no sistema GRC e também em uma solução gamificada. Ao integrar a captação dos dados ao processo já existente, não será necessário que o funcionário realize trabalho para que este seja considerado completo. Criar soluções gamificadas isoladas quando já existem outros sistemas que suportam as mesmas atividades somente amplia as atribuições dos funcionários e obviamente os jogadores irão se ressentir, o que por sua vez promoverá o desengajamento.

GAMIFICANDO O SISTEMA

Bernie Madoff, corretor de Wall Street e presidente de sua própria firma de investimentos, comandou um verdadeiro esquema Ponzi, ludibriando milhares de investidores ao longo de vários anos e desviando bilhões de dólares, até que fosse preso em 2008. Essa foi a maior fraude financeira da história dos EUA. Esquemas Ponzi não geram dinheiro por meio de investimentos; eles usam o capital de novos investidores para obter lucros para aqueles já existentes. Esse tipo de sistema recebeu esse nome por causa de Charles Ponzi, que, supostamente, teria desenvolvido o método na década de 1920, todavia, o esquema já existia desde o século XVIII. É claro que existem regras para evitar esse tipo de fraude, porém, Bernie Madoff descobriu brechas que lhe permitiram enganar o sistema. Um esquema Ponzi precisa de alguns ingredientes essenciais para funcionar: investidores confiantes, uma **empresa de auditoria conivente** e **reguladores adormecidos**. Um esquema Ponzi é uma maneira de jogar com o sistema – sobrepujando as regras para alcançar objetivos – e, nesse caso, ganhar muito dinheiro. Até ser pego, Madoff lucrara cerca de US$ 18 bilhões. Ele foi sentenciado a 150 anos de prisão.

"**Quanto maior o risco, maior a recompensa**" é uma expressão comum que descreve o perfil de **perigo x compensação** que faz parte dos investimentos. Na gamificação, o oposto se aplica: quanto maior a recompensa, maior o risco – de que alguém irá tentar ludibriar o sistema. Um dos problemas com a gamificação é o fato de que o objetivo do jogador não é o de participar do jogo, mas vencê-lo. E quando este se torna a meta principal, alguns jogadores tentarão encontrar alguma brecha na solução que lhes permita seguir adiante sem realizar as atividades definidas no aplicativo. Claramente, isso leva a consequências não intencionais por parte da empresa. Quanto mais os objetivos da solução estiverem alinhados àqueles dos jogadores, menos provável é que os participantes busquem brechas e atalhos para atingir suas metas.

Enquanto as recompensas por roubar dinheiro de investidores são grandes, aquelas por ludibriar uma solução gamificada são pouco significativas. Todavia, se os participantes encontrarem furos no sistema, eles com certeza os aproveitarão a seu favor. Por exemplo, o Digg, um *site* de notícias, foi vítima de sua própria comunidade. Em 2005, um usuário identificado apenas como KoolAidGuy (em tradução livre, algo como "o cara legal que oferece ajuda"), descobriu um modo de promover histórias na página frontal do *site*, ao utilizar-se de uma falha no sistema. Ele (ou ela) usaram tal conhecimento para promover artigos na página principal do *site*, e expôs a deficiência publicamente.[6] De modo não surpreendente, usuários que confiavam no Digg ficaram irritados. Um deles chegou a postar: "Todos que leem o Digg conhecem um usuário que se autodenomina KoolAidGuy. Em resumo, esse indivíduo começou mostrando um erro de sistema diretamente à comunidade Digg, porém, muito tempo depois de o problema se tornar óbvio, ele ainda continua a fazer *spam* na página, destruindo completamente o valor do *site*."[7]

A lição aprendida nesse caso é que mesmo quando não há dinheiro em risco, as pessoas são capazes de encontrar fissuras no sistema e explorá-las, simplesmente pelo fato de conseguirem fazê-lo. Para mitigar esse risco, os *designers* de soluções gamificadas precisam pensar como *hackers* e trabalhar no sentido de analisar a estrutura e as regras da solução para tentar achar eventuais brechas, antes que os próprios jogadores o façam.

RESUMO

- ✓ Jogadores valorizam e confiam na economia do jogo e esperam que ela **permaneça dividida** em níveis de jogos. Tenha cautela ao ajustá-la, ou poderá prejudicar a confiança dos usuários, o que, por sua vez, afetar o envolvimento dessas pessoas.
- ✓ A gamificação bem-sucedida é um processo que inclui a composição de uma **experiência envolvente** para um público-alvo específico. Invista o tempo necessário para compreender profundamente os jogadores e também suas motivações e seus objetivos.
- ✓ Uma das armadilhas da gamificação é a tendência de a empresa se **concentrar nos pontos, distintivos** e **placares** que serão usados, em vez de focar nas realizações significativas que esses prêmios e painéis de colocação representam.
- ✓ Use a **competição de maneira prudente**, pois ela com frequência não está alinhada com os objetivos da empresa e podem diminuir a motivação dos jogadores cujo desempenho seja inferior ao esperado.
- ✓ Para sustentar o envolvimento por parte dos jogadores, crie uma **experiência inicial fácil** e então, ao longo do tempo, mantenha o equilíbrio entre habilidades e desafios.
- ✓ Soluções gamificadas são normalmente mais bem-sucedidas quando os jogadores **aceitam utilizá-las naturalmente**.
- ✓ Um risco da gamificação é transformar a vitória no jogo no principal objetivo do jogador, em vez de a própria ação de jogá-lo. Neste caso, os **usuários poderão buscar brechas para ludibriar o sistema**.

Capítulo 9
Administrando em busca do sucesso

Projetos de gamificação devem ser propostos, patrocinados e administrados da mesma maneira como qualquer outra iniciativa de mudança. A gestão de projetos de mudança, um tópico bem mais amplo e profundo, está fora do escopo deste livro, mas existem muitos outros recursos excelentes disponíveis sobre esse assunto. Portanto, sugiro que agora nos concentramos nas áreas em que os projetos de gamificação diferem de outras iniciativas de mudança. A distinção mais importante nos projetos de gamificação diz respeito a sua abordagem em termos de *design*. Detalhes específicos sobre isso serão explorados ainda neste capítulo.

VENDENDO A IDEIA DE GAMIFICAÇÃO PARA LÍDERES EMPRESARIAIS

A palavra gamificação é um tanto infeliz. Talvez fosse mais apropriado denominar o processo de **"motificação"**, porém, esta seria apenas outra **palavra idiota**. O problema está de fato na maneira como a maioria das pessoas compreende a gamificação. Como discutido anteriormente a gamificação e os *games* (jogos) realmente compartilham de algumas mecânicas similares, como pontos, distintivos e placares, todavia, a relação entre ambos termina aí. A gamificação está associada a motivação de pessoas, não a divertimento. O problema é que tal distinção passa despercebida de muitas pessoas, o que torna esse produto difícil de comercializar.

Considerando o fato de que já existe tanta coisa escrita sobre o assunto, como afirmações do tipo, "a gamificação transforma o trabalho em divertimento," é fácil entender como os empreendedores poderão reagir. Muitos líderes empresariais veem a si mesmos como fiscais de organizações sérias; eles não estão ali para se divertir, e se sentem orgulhosos disso. Portanto, é óbvio que não irão mudar por causa da última tendência do mercado. Se estiver planejando se aventurar em um projeto de gamificação, talvez precise ajustar as perspectivas de todas as pessoas interessadas pela empresa (os *stakeholders*) – sócios, funcionários, acionistas, clientes etc. – em relação ao que isso significa, antes mesmo que eles sequer considerem a ideia de investir tempo e dinheiro nisso.

Em primeiro lugar desmistifique a ideia de que gamificação é para se divertir. Se conseguir convencer a administração sênior de que o processo diz respeito a motivar clientes, funcionários e comunidades de interesse, você estará no caminho certo para persuadi-los sobre os benefícios desse investimento.

Os pioneiros na adoção da gamificação deram um salto de fé ao assumir que tais projetos lhes trariam algum retorno. Aplaudo sua fé. Muitas dessas pessoas realmente acreditavam nessa ideia e estavam preparados para assumir o risco de investir dinheiro sem contar com quaisquer registros anteriores que comprovassem algum retorno sobre investimentos (ROI, sigla em inglês). É bem provável que você não tenha a mesma sorte.

A maioria dos líderes empresariais é avessa a riscos. Eles não querem ser os primeiros a tentar algo novo; em vez disso, preferem ser os seguidores. Esses profissionais buscarão exemplos claros e comprovados de como a gamificação será capaz de atingir resultados comerciais positivos. Muitos os estudos de caso já mencionados se concentraram naquilo que as organizações estão fazendo e não incluíram os resultados obtidos. Neste livro, ressaltei algumas soluções de gamificação bem-sucedidas e, a cada dia, novos exemplos de sucesso aparecem na pesquisa Gartner, em conferências sobre gamificação e também na mídia. É preciso, portanto, coletar exemplos desses sucessos obtidos por outras empresas para convencer a alta gerência de que tais resultados positivos podem perfeitamente ser replicados na companhia que eles dirigem. Um estudo de caso razoavelmente sólido para justificar o investimento será exigido para a maioria das iniciativas de gamificação no futuro.

PAPÉIS E HABILIDADES DOS PROJETOS DE GAMIFICAÇÃO

A maioria das soluções de TI se concentra em aumentar a eficiência e/ou efetividade dos processos comerciais. Uma solução gamificada é diferente em termos qualitativos. Ela é primariamente projetada para envolver e motivar usuários. De modo não surpreendente, para ser bem-sucedido um projeto de gamificação difere da maioria dos projetos de TI e requer muitas habilidades distintas.

Soluções gamificadas são inevitavelmente entregues por meio de *softwares*, todavia, necessitam de ampla gama de habilidades que vão bem além da tradicional proficiência inerente aos desenvolvedores de programas. Profissionais como os estrategistas digitais, psicólogos comportamentais, *designers* de experiência e especialistas em *marketing* também deveriam participar da equipe. Dependendo de sua função (alterar comportamentos, desenvolver habilidades ou estimular a inovação), podem ser necessários outros conhecimentos especializados, incluindo a *expertise* de especialistas em inovação, educadores, treinadores ou *coaches*. A especialização em assuntos pontuais também se revelará essencial no desenvolvimento do processo. Por exemplo, no projeto da YakTrade, descrito anteriormente, especialistas com conhecimentos nas áreas de investimento e finanças seriam fundamentais. Os usuários finais também precisam estar representados, o que geralmente ocorre por meio de grupos focais ou piloto.

Os grupos encarregados de projetos de gamificação são geralmente pequenos (com frequência abrigam menos de dez pessoas), porém, a iniciativa como um todo irá incluir muitos indivíduos com habilidades específicas e que não trabalhem tempo integral no projeto. Comparadas a outros projetos de mudança, as soluções gamificadas tendem a ser bem restritas, tanto em termos de recursos quanto custos, mas não saem de graça. Como no caso de qualquer outro tipo de projeto elas também demandam investimento e planejamento. Pelo fato de serem pequenas, elas às vezes não são levadas a sério pelas organizações e acabam ganhando um *status* de "**projeto passatempo**". Contudo, tais projetos com frequência exercem um impacto desproporcional na empresa e, portanto, precisam estar alinhados ao tamanho dessa repercussão, não à dimensão do programa em si.

O líder da unidade de negócio mais alinhado com o público-alvo provavelmente será o patrocinador de qualquer iniciativa de gamificação. Se esse público envolver clientes, o diretor de *marketing* será um provável candidato; se os funcionários forem o objetivo, e o propósito da iniciativa for treinamento, o vice-presidente de recursos humanos ou o diretor de treinamentos serão os possíveis defensores. Exceto, é claro, nos casos em que a solução gamificada estiver voltada especificamente para o próprio departamento de TI, essa área deverá desempenhar somente um papel de suporte no desenvolvimento da solução; neste caso o projeto como um todo ficará a cargo da respectiva unidade patrocinadora.

O departamento de TI também estará envolvido de maneira mais específica caso a solução precise ser integrada a outras soluções corporativas. Por exemplo, a equipe de desenvolvimento do BBVA precisou trabalhar ao lado dos setores de *Web banking* e segurança para permitir a integração do programa aos serviços bancários fornecidos via Internet. Entretanto, mesmo que a solução funcione isoladamente e não exija integração direta como outros sistemas, é aconselhável contar com o setor de TI, pois os especialistas dessa área certamente poderão agregar valor ao produto, selecionando a arquitetura tecnológica, negociando contratos com fornecedores externos e oferecendo suporte ao aplicativo ao longo do tempo.

SELECIONANDO A ABORDAGEM TÉCNICA

Plataformas e prestadores de serviços gamificados oferecem todo um conjunto de ferramentas e serviços para acelerar seus projetos nessa área. Basicamente, há três abordagens para o desenvolvimento de uma solução gamificada: 1ª) Desenvolvimento customizado; 2ª) Soluções criadas com propósito definido; 3ª) Plataformas gamificadas de múltiplas funções.

Desenvolvimento customizado. Essa abordagem oferece a maior flexibilidade, mas talvez não seja a mais barata. Como o próprio nome sugere, a solução é projetada, desenvolvida e aplicada utilizando recursos internos e/ou externos. Organizações que contem com setores especializados em TI poderão preferir usar seus próprios recursos para desenvolver a solução gamificada. Para essas organizações, há alguns pontos que precisam ser considerados.

Equipes que compõem típicos departamentos de TI com frequência não possuem experiência no desenvolvimento de soluções gamificadas. Em geral eles possuem as habilidades técnicas (essas soluções não costumam ser tecnicamente complexas), mas falta a esses indivíduos a habilidade de compreender como engajar e motivar pessoas.

Conjuntos de habilidades de desenvolvimento padrão precisarão, neste caso, ser ampliados com a ajuda de pessoas que entendam a respeito de *design* de experiência.

Com frequência, as questões analíticas são negligenciadas pelas equipes internas de TI. Como veremos mais adiante, soluções gamificadas tipicamente evoluem ao longo do tempo, para se manter sintonizada e otimizar a experiência do "jogador" (usuário). Isso demanda a coleção e a análise das interações desses usuários, o que precisa ser resolvido a partir da perspectiva de um trabalho de *design* técnico.

Esses riscos poderão ser reduzidos até certo ponto pelo uso da experiência de um número crescente de empresas que oferecem o desenvolvimento de soluções gamificadas customizadas. Essas companhias têm experiência na criação de soluções específicas e são capazes de aplicar todo o seu conhecimento em termos de *design* de experiência e análise. Práticas de desenvolvimento de soluções gamificadas customizadas estão sendo integradas aos fornecedores de serviços tradicionais já terceirizados, mas já existe um número de provedores especializados crescendo rapidamente. Esses fornecedores menores com frequência evoluem a partir de empresas que até então ofereciam somente serviços de propaganda e mídia digital. Alguns exemplos apresentados neste livro incluem a Cundari, uma agência de publicidade e *branding* (construção de marca) que desenvolveu o aplicativo *Esquadrão da Dor*, e a extinta Natron Baxter, que desenvolveu o *HeartChase* para a American Heart Association, e possuía um portfólio de soluções gamificadas customizadas para vários clientes.

Soluções criadas com propósito definido. Um número crescente de soluções com propósitos definidos está surgindo no mercado. As que mais se sobressaem entre elas são as horizontalizadas, que atendem a um número cada vez maior de áreas, como *call centers*, gestão de inovação e gestão de relacionamento com clientes. Há também um número progressivo de soluções verticalizadas, como as utilizadas no treinamento de serviços financeiros, serviços em restaurantes/*fast food* e cuidados com a saúde. Soluções criadas com propósito definido possuem a vantagem de serem testadas no mercado, o que reduz os riscos de fracasso; também é mais provável que elas sejam mais baratas de as customizadas. Em contrapartida, elas não garantirão àquele que as adota vantagem competitiva de longo prazo, uma vez que essas mesmas ferramentas também estão disponíveis para a concorrência. Organizações que planejem implantar uma solução gamificada deveriam avaliar o mercado para determinar se existe uma opção que se mostre comprovadamente eficaz e já esteja disponível para atender a seus próprios desafios.

Plataformas gamificadas de múltiplas funções. Essas plataformas suportam a integração entre mecânicas de jogo e análise de usuários em soluções que tenham várias diferentes utilizações. Um pequeno número de plataformas gerais de gamificação e venda automática estão disponíveis para suportar o *design* e a implementação de uma grande variedade de soluções. Plataformas de gamificação oferecem instrumentos de gamificação de múltiplas funções, como mecânicas de jogos e análise de usuários, que podem ser integradas em uma grande variedade de soluções ou em diversas plataformas computacionais.

Pelo fato de essas plataformas de gamificação terem sido principalmente exploradas em soluções voltadas para o consumidor, os vendedores têm mais experiência nessa área e também com plataformas direcionadas a esses mercados. Conforme a gamificação começa a ser implantada de maneira mais ampla em outras áreas de negócios, os vendedores passaram a oferecer soluções e serviços capazes de suportar a gamificação de funções focadas em operações internas nas organizações. Plataformas de gamificação de múltiplas funções são tipicamente entregues como *Softwares* como Serviço (SaaS, sigla em inglês para *Software as a Service*) e oferecem.

- **Mecânica de jogos e recompensas** – Usando Interfaces para Programação de Aplicativos (IPAs), esses serviços oferecem as mecânicas essenciais de jogos – a pontos, distintivos, placares e buscas por objetivos. As organizações que irão utilizá-las como usuários finais poderão adotar tais serviços para envolver seus membros (jogadores) e direcioná-los ao longo da jornada.
- **Ferramentas de administração** – Elas permitem que as organizações usuárias gerenciam o registro dos membros e também outros instrumentos administrativos, assim como aspectos da própria integração na solução gamificada.
- **Integração de mídias sociais ou serviços** – Elas oferecem conexões a *sites* populares de mídia social, como o Facebook, por exemplo, e/ou são capazes de administrar uma rede social ou outro tipo de comunidade dentro da própria solução.
- **Análise** – A reunião e análise das ações dos usuários se faz necessária para permitir que os *designers* de soluções gamificadas compreendam os aspectos do jogo que os usuários considerarem envolventes – e quais deles não promovem engajamento – para que a solução possa ser devidamente sintonizada. A capacidade analítica também fornece um mecanismo para determinar se a solução está atendendo os objetivos da empresa.

A utilização de plataformas gamificadas fornecidas por vendedores pode reduzir de maneira significativa o tempo, os custos e os riscos intrínsecos ao desenvolvimento de um aplicativo customizado, ao utilizar um conjunto específico de ferramentas de vendas. Os custos também podem ser minimizados quando a organização que embarca nessa iniciativa de gamificação utiliza a infraestrutura de vendas no ambiente nuvem, o que é especialmente importante para soluções cuja demanda é desconhecida ou altamente variável, pois os serviços são oferecidos dentro de um modelo elástico de nuvem. Em grande escala, o maior risco na gamificação são as soluções mal projetadas e a maior barreira para o sucesso é a falta de habilidades no *design* de projetos de gamificação dentro das organizações. Além de oferecer tecnologias que atendam ao próprio projeto de gamificação, tais plataformas de vendas também oferecem consultores experientes no *design* e desenvolvimento de soluções gamificadas. Em alguns casos, elas também dão acesso a habilidades especiais em áreas como a ciência comportamental.

Veja a seguir uma lista de algumas das plataformas gamificadas de vendas de múltiplas funções:

- Bunchball (bunchball.com) – Fundada em 2005, a Bunchball oferece a plataforma de gamificação Nitro, assim como outras soluções integradas e IPAs para várias soluções corporativas.
- Badgeville (badgeville.com – Fundada em 2010, a Badgeville oferece a plataforma Comportamental (Behavior Plarform) para gamificação, assim como algumas soluções integradas IPAs para soluções corporativas.
- BigDoor (bigdoor.com) – Fundada em 2009, a BigDoor oferece uma plataforma de gamificação que se concentra primariamente em soluções voltadas para o consumidor.

Considerando a natureza de constante evolução inerente aos serviços de vendas gamificadas, lembre-se sempre de buscar informações atualizadas sobre esses e outros fornecedores. A menção dessas empresas em particular tem por objetivo exemplificar os serviços prestados. Não se trata, portanto, de uma lista completa, tampouco deve ser considerada como algum tipo de endosso em termos de qualidade.

PROMOVENDO E LANÇANDO A PLATAFORMA

No filme *Campo dos Sonhos*, de 1989, Kevin Costner interpreta o papel de Ray Kinsella, um produtor de milho no Estado norte-americano de Iowa. Um dia ele escuta uma voz que lhe diz: "Se construí-lo, ele virá." Ele interpreta aquilo como uma mensagem de que, se construir um campo de basebol no milharal, os fantasmas de Shoeless Joe Jackson e de outros integrantes da antiga equipe do Chicago White Sox apareceriam para jogar. Então Ray Kinsella constrói o campo e os jogadores aparecem, assim como muitas pessoas para assistir ao jogo. Ele construiu e eles vieram. É fantástico saber que nos filmes é possível sonhar com coisas desse tipo e ainda vê-las acontecer. Entretanto, na vida real não é bem assim.

As empresas com frequência subestimam os esforços de promoção necessários para atrair e engajar o público-alvo. Em alguns casos, a solução será promovida para o público em geral, como vimos no caso da Quirky e da Khan Academy. Em outros, haverá uma plateia de funcionários, de clientes ou até mesmo de uma comunidade de interesse pré-definida. O fato é que, independentemente de você ter ou não uma relação anterior com o público-alvo, os jogadores precisarão ser encorajados a participar.

Como já estabelecemos, mesmo que tenha um público cativo para sua solução, é melhor incentivar os jogadores a aderirem à solução que obrigá-los a participar dela. E, para estimular a participação, será preciso promover a solução gamificada. Você deveria começar planejando de que modo você irá "**vender**" sua solução. Se possuir uma equipe de *marketing* dentro da empresa, ela deverá fazer parte do processo desde o início. Se não tiver a sorte de contar com seu próprio setor de *marketing*, poderá envolver um parceiro externo com experiência nesse setor.

Um plano de *marketing* focado em atividades que promovam a solução deverá então ser desenvolvido. A natureza desse projeto dependerá amplamente do público-alvo e da natureza de qualquer relação pré-existente entre as partes. Soluções voltadas para um público externo tipicamente utilizarão canais não tradicionais como presença nas mídias sociais, vídeos no YouTube, anúncios no Google e no Facebook, *blogs* e outros canais. De qualquer modo, o primeiro passo para conseguir a adesão do público-alvo é a conscientização e o engajamento dessa população na solução. Já aquelas voltadas para um público interno exigem um plano de *marketing* que use a mídia social interna, *e-mails* ou quaisquer outras abordagens criativas.

A equipe do DWP, descrita no Capítulo 5, descobriu que havia subestimado os esforços necessários para atrair integrantes para o Idea Street. Plantando as sementes do interesse por meio de um plano eficiente e efetivo de *marketing*, essa plataforma foi a chave para o desenvolvimento de massa crítica em termos de participação, o que permitiu que o conceito se tornasse viral. A equipe de inovação lidou com esse desafio com todas as estratégias normais do *marketing*, mas foram além disso. O grupo atraiu o interesse das pessoas ao colocar funcionários nas salas de espera dos prédios do DWP para registrá-las diretamente no aplicativo. Para gerar maior interesse pelos potenciais participantes foram inclusive distribuídas ervilhas (DWPeas), simbolizando pontos iniciais pelo registro.

Por conta da natureza social de muitas soluções gamificadas, é importante alcançar massa crítica antes que a solução possa se tornar realmente eficaz. Os jogadores podem então se transformar nos melhores defensores da iniciativa. Uma das coisas que a Zynga faz muito bem (ou irritantemente bem) é usar o Facebook para divulgar seus jogos. Postar e expor suas realizações para os amigos é uma ótima maneira de fazer com que sua mensagem se torne viral.

Conscientizar as pessoas, construir a base de usuários e alcançar massa crítica são passos importantes para alcançar sucesso no lançamento de uma solução gamificada. Planeje a promoção da solução e invista na construção de uma base de usuários desde o início do projeto.

ADMINISTRANDO OS BENEFÍCIOS

A realização dos benefícios começa logo no início do projeto com a definição das metas no que se refere aos resultados comerciais esperados. Uma vez que o projeto tenha sido iniciado, será preciso alinhá-lo constantemente aos resultados projetados. É necessário que um sistema de medição seja identificado ou estabelecido desde o começo, já com os parâmetros que serão utilizados. Estes o ajudarão a determinar se o projeto foi bem-sucedido em alcançar os objetivos comerciais estipulados no início do projeto. Uma vez que o projeto esteja finalizado, os benefícios devem ser colhidos, registrados e comunicados.

A realização dos benefícios é responsabilidade do patrocinador do projeto, seja ele o diretor financeiro (CFO) ou do departamento de Informação (CIO). Isso se concentra nos resultados comerciais que, em geral, são mais amplos que as medições de ROI. Projetos de gamificação tendem a se concentrar em áreas que ostentam uma relação causal com receitas, custos e lucros. Os principais indicadores – como tráfego no *Website*, aumento na retenção no aprendizado e lançamento de projetos de inovação

– servem como previsão para os resultados do processo. As equipes que formam o projeto devem compreender e comunicar as relações causais entre os principais indicadores nos quais o projeto está focado e o acompanhamento dos impactos no negócio.

Com bastante frequência, projetos de gamificação resultam em benefícios inesperados. Por exemplo, uma solução de gestão inovadora poderá se mostrar positiva no aprimoramento da comunicação entre as áreas corporativas; uma solução que visa encorajar a evangelização da marca pelo consumidor poderá resultar no oferecimento de suporte ao produto pelos próprios clientes. Durante o ciclo de colheita de benefícios, integrantes da equipe do projeto devem ficar atentos a benefícios inesperados e registrá-los também.

A comunicação do sucesso dos projetos cumpre sua promessa e fecha o ciclo de trabalho para todos os participantes. Os resultados positivos do projeto devem ser amplamente divulgados, e não apenas no que se refere aos resultados comerciais obtidos. Com frequência, evidências na forma de experiências e histórias poderão exercer um impacto maior nas percepções das pessoas quanto ao sucesso do projeto – tais narrativas fazem com que o projeto ganhe vida. Solicite *feedback* dos jogadores para compreender de que modo a solução os está ajudando a alcançar seus objetivos, e divulgue essas histórias para todos os interessados no bom desempenho do projeto.

Vale lembrar que nenhum projeto corre exatamente como o planejado. De modo inevitável, sempre haverá obstáculos e problemas que poderiam ter sido evitados. O valor deles é o aprendizado que nos trazem, para que possamos evitar repeti-los. Compreender, documentar e comunicar as **"lições aprendidas"** é bastante valioso para futuras iniciativas, além de um claro indicador de mudança no nível de maturidade gerencial. Portanto, ao compartilhar os benefícios alcançados, também caberá à equipe responsável informar sobre as lições aprendidas.

RESUMO

✓ Se estiver tentando iniciar um projeto de gamificação, talvez precise **desfazer** alguns **mitos comuns** e vender a ideia da gamificação para a gerência antes mesmo que ela sequer considere investir nessa empreitada.

✓ **Colecione** estudos de **caso de sucesso** em outras empresas para convencer sua administração de que eles poderão ser replicados em sua organização.

✓ Projetos de gamificação **diferem** da maioria das **iniciativas de TI**, além de exigirem várias habilidades e competências distintas para se mostrarem bem-sucedidos.

✓ Pelo fato de os **projetos de gamificação** normalmente serem **menores** que os de mudança nas organizações, às vezes eles **não são levados a sérios** e sofrem com o *status* de "projeto passatempo."

✓ Avalie que abordagem sua organização irá usar para desenvolver uma solução gamificada: 1ª) Desenvolvimento customizado; 2ª) Soluções criadas com propósito definido; e 3ª) Plataformas gamificadas de múltiplas funções.

✓ O maior **risco** na gamificação é o **uso de soluções mal-projetadas**. Já a maior barreira para o sucesso dessa iniciativa é a falta de habilidades na área de *design* de soluções gamificadas dentro das próprias organizações.

✓ Não espere que **"se você construí-lo, eles virão"**. Planeja investimentos de tempo e dinheiro na divulgação da solução gamificada para conseguir desenvolver massa crítica de participantes.

✓ A **materialização dos benefícios** começa já no início do projeto e deve ser acompanhada, colhida e divulgada.

✓ Fique atento aos benefícios não previstos e tome o cuidado de **registrá-los**.

✓ **Colecione** as **lições aprendidas** para construir a memória organizacional.

Capítulo 10
Gamificação 2020: O que esperar do futuro?

Atualmente, algumas organizações se revelam céticas a respeito da **viabilidade** e **longevidade** da gamificação como um meio de **engajar** e **motivar públicos-alvo**. De fato, as pessoas têm dificuldades em compreender essa vertente, assim como suas implicações em longo prazo. Em uma pesquisa de 2012, conduzida pelo Pew Research Center, 53% das pessoas entrevistadas disseram que até o ano de 2020 a gamificação **não evoluirá** para se tornar uma tendência mais ampla, exceto em esferas específicas.[1]

Na introdução deste livro, vimos que no círculo das expectativas em tecnologias emergentes (Hype Cycle for Energing Technologies), a Gartner colocou a gamificação no "topo das expectativas exageradas" rumo ao "Vale das Desilusões." Contudo, nós acreditamos que essa ferramenta adentrará esse vale em 2014, por conta, principalmente, da falta de compreensão do *design* de experiência e das estratégias de engajamento do jogador, o que já resulta em inúmeros aplicativos fracassados. Porém, também acreditamos que gamificação, desde que aplicada com os princípios de *design* adequados, exercerá um impacto significativo em várias áreas, e que, em determinados campos, o uso da gamificação será transformativo.

Neste capítulo, iremos explorar alguns cenários para a gamificação tendo como pano de fundo o ano de 2020. Alguns exemplos diferenciados, como os modelos adotados na Khan Academy, no Quirky e no Nike+, demonstram que a gamificação pode ser bem-sucedida, desde que usada com o intuito de motivar pessoas a atingirem seus objetivos. Na verdade, os três são ótimos exemplos das três áreas bastante abrangentes em que a gamificação é implementada e utilizada com sucesso: 1º) desenvolvimento de habilidades; 2º) estímulo à inovação; e 3º) mudança comportamental.

Gartner se refere ao modelo em nuvem, à mobilidade, à socialização e à informação como vínculos entre forças que estão propulsionando mudanças transformacionais. Cada um desses elementos tem exercido um papel fundamental no crescimento da gamificação até os dias de hoje. A plataforma Fourquare* foi a primeira grande utilizadora da gamificação com a implantação de todas essas tendências e tecnologias em um só lugar. Na verdade, o aplicativo Foursquare somente se tornou viável por conta da ampla aceitação dos *smartphones* equipados com GPS e, como ocorre com vários aplicativos desse tipo de equipamento, a maior parte do trabalho computacional acontece no ambiente nuvem. A adoção viral do Foursquare ocorreu, em grande parte, pela sua integração com ferramentas de mídia social, como o Facebook. O Foursquare foi bem-sucedido em capturar informações a respeito de locais e permitir que seus usuários compartilhassem indicações que se aplicassem a seus contextos pessoais, e de uma maneira nunca vista anteriormente.

Em comparação aos dias de hoje, no ano de 2020 as pessoas verão o mundo de uma maneira bastante diferente, e graças a tecnologias que estão emergindo atualmente. Assim, os computadores não apenas saberão onde você está, eles serão capazes de: 1º) ver o que você está fazendo; 2º) ter a percepção do seu estado de espírito; 3º) aprender seus hábitos; 4º) compreender suas necessidades; e 5º) oferecer as informações de que precisa, na hora e no lugar certos. Haverá uma grande mudança na maneira como interagimos com a tecnologia, que, ao invés de se mostrar uma ferramenta passiva se tornará uma **parceira essencial**, capaz de antecipar o que você necessita e disponibilizá-lo. O papel do seu *smartphone* será invertido – no que se refere à entrega de informações. O equipamento abandonará o modelo *pull* (passivo) e adotará outro denominado *push* (ativo). Por exemplo, no futuro, em vez de você descobrir que terá de cruzar a cidade para um compromisso, seu *smartphone* verificará sua agenda

---

* Trata-se de um serviço que combina rede social, geolocalização e dicas sobre estabelecimentos e serviços. Usando um celular (Internet *wireless*), é possível informar sua localização, comentar o local, compartilhar dicas e promoções, informar o clima e/ou qualquer outro dado que considere importante. (N.T.)

e, sabendo de antemão onde você terá de estar, conferirá as condições do trânsito, calculará o tempo de que irá precisar para chegar até lá e ainda chamará um taxi para você. De fato, é possível que de maneira surpreendente seu telefone celular **passe a direcionar grande parte de sua vida!**

CENÁRIOS FUTUROS

No futuro a gamificação continuará a evoluir e criar novos pontos de descontinuidade. Embora esse processo não seja o único responsável por essas mudanças, ele disponibilizará as ferramentas que possibilitarão a interação entre os "jogadores" e também a motivação para estimular o engajamento. Há várias tendências úteis que irão permitir essas descontinuidades. Ao pensar na gamificação no ano de 2020, é preciso que a analisemos dentro do contexto de como iremos interagir com a tecnologia nessa época. A maturação de outras tecnologias emergentes – o que inclui o controle de gestos, a detecção de emoções, a utilização de HMDs (sigla para *head-mounted display*, dispositivo de vídeo usado na cabeça para experimentação de realidade virtual) e de *augmented reality* (realidade aumentada) – irá ampliar o uso da gamificação em muitos ambientes, integrando-as de maneira natural à nossa rotina diária. Outras tendências como a administração participativa, os *Moocs* (acrônimo para *Massive Open On-line Courses*, cuja tradução seria acesso generalizado a cursos abertos *on-line*), o *crowdsourcing* (terceirização em massa) e as *microcredentials* (microcredenciais, que, em essência, simbolizam ou indicam o reconhecimento de habilidades, qualidades ou interesses), também desempenharão um papel importante na evolução da gamificação.

Combinadas, tais tendências mudarão da maneira fundamental o modo como pensamos a respeito do aprendizado, da solução de problemas e do desenvolvimento pessoal. Novos modelos de ensino surgirão e se tornarão uma ameaça ao *status quo* e aos educadores tradicionais, desenvolvedores de políticas públicas e a todos os tipos de *coaches* pessoais. Vejamos alguns cenários para a gamificação no ano de 2020 para cada uma dessas três áreas: desenvolvimento de habilidades, estímulo à inovação e mudança comportamental.

A DEMOCRATIZAÇÃO DO APRENDIZADO

O acesso à educação avançada, em especial para indivíduos em países em desenvolvimento, é extremamente cara e, por isso, só está acessível para as elites. Um diploma universitário continua sendo o símbolo de escolha para a entrada no mercado de trabalho. Porém, as coisas estão mudando. Os empregadores estão menos interessados em saber de onde você veio ou que universidade frequentou que nas habilidades e talentos que traz para a empresa. Há várias maneiras de aprender e a gamificação, juntamente com outras tendências na área de educação, está mudando a maneira como as pessoas pensam no aprendizado, na educação avançada e no reconhecimento do ganho de capacitação.

Envolvendo os alunos no aprendizado. Como vimos, a gamificação tem sido aplicada aos treinamentos e na educação, e de várias maneiras distintas para aumentar o engajamento dos alunos no processo de aprendizagem. Em sua forma mais simples, a gamificação tem sido aplicada como uma camada superficial de jogo aos materiais dos cursos para acelerar os ciclos de *feedback* e oferecer recompensas em termos de reconhecimento social que reforçam e ampliam o envolvimento do aluno/jogador no processo, proporcionando resultados melhores. Abordagens mais sofisticadas no *design* de gamificação surgirão com o tempo.
Acesso à educação avançada. Os *Moocs* e os recursos educacionais como os oferecidos pela Khan Academy estão mudando a cara da educação. Nos últimos anos, muitos cursos universitários gratuitos foram disponibilizados *on-line*, para todos os que quisessem se inscrever neles. O Coursera, por exemplo, oferece atualmente mais de 500 cursos ministrados por mais de 100 universidades e instituições de ensino (IEs) parceiras. O fato é que essa instituição já angariou mais de 5 milhões de alunos. As turmas são gigantescas, alcançando com frequência dezenas de milhares de alunos. Todavia, o tempo investido pelo professor é reduzido, por conta do uso de palestras gravadas em vídeo disponíveis para o aluno no momento em que ele quiser e precisar, dos testes ou provas realizados *on-line* e da avaliação dos trabalhos solicitados feita pelos próprios colegas.

A maioria dos cursos feitos via *on-line* não oferecem créditos, porém, mas isso está evoluindo. Alguns dos que são disponibilizados pela Coursera estão agora incluídos no Signature Track (Controle de Assinatura), que (com o pagamento de uma taxa específica), concede aos alunos certificados dos cursos finalizados. O resultado disso é que, agora, muitos cursos de qualidade estão ao alcance de todos que tenham um computador e uma conexão de Internet, independentemente de onde estejam ou de seu *status* econômico.

Reconhecimento do ganho de capacitação e habilidades. Um componente-chave da educação é o amplo reconhecimento do que foi aprendido pelos alunos. Essas habilidades podem ser conseguidas por meio de **educação avançada, experiência no trabalho** ou **estudo independente,** porém, os diplomas concedidos por instituições de educação de nível superior (IESs) são os que obtêm maior reconhecimento. Entretanto, com frequência essas IESs somente oferecem reconhecimento (na forma de concessão de diplomas) a alunos que tenham pago suas parcelas, comparecido às aulas e terem passado nas provas de avaliação. Mas isso poderá mudar logo (principalmente no Brasil, eliminando-se a necessidade de comparecimento à IES).

Como já discutido anteriormente, distintivos certificados como os oferecidos pelo projeto Mozilla Open Badges e o Signature Track da Coursera, dão às instituições e aos alunos a credibilidade e um meio eletrônico de comprovar seus feitos e suas realizações. Esse tipo de certificação pode ser atribuído por qualquer organização; a entrega e os critérios para concessão podem ser verificados junto à instituição que os oferece. Embora recentes, esses distintivos já estão sendo bem aceitos pelas empresas. A vantagem deles está no fato de oferecerem uma infraestrutura para a verificação dos resultados em uma plataforma de uso comum. O valor de cada distintivo/certificado dependerá da credibilidade da organização que os fornece e dos critérios por ela utilizados. É óbvio que o valor dos certificados de realização será determinado pelo contratante potencial, não pelas instituições que os fornecem.

A curto prazo, a gamificação será usada primordialmente para criar materiais mais envolventes para cada tipo de curso. Contudo, por volta de 2020 a educação superior será globalizada e haverá maior igualdade em termos de acesso, além de um reconhecimento mais aberto da retenção de habilidades pelos alunos por meio dos distintivos a eles atribuídos. Alternativas à educação avançada formal poderão evoluir no sentido de tornar o processo de aprendizagem mais envolvente, amplo e reconhecido. Os alunos não se sentirão mais inibidos por questões geográficas ou econômicas. Os contratantes terão uma gama maior de opções em termos de candidatos qualificados. Países que tradicionalmente sofrem pela falta de mão de obra qualificada terão acesso a um novo espectro de talentos locais. O impacto disso será muito significativo para IEs, organizações e economias em desenvolvimento.

LIDANDO COM PROBLEMAS CONTRADITÓRIOS COMO PARTE INTERESSADA NO ASSUNTO

Como já verificamos, a **gamificação** e a **inovação** formam uma dupla perfeita. O Barclaycard, a Quirky e o DWP demonstram o poder do desenvolvimento colaborativo de ideias. Esses tipos de soluções inovadoras continuarão a crescer, porém, nas que virão no futuro já começaremos a enfrentar problemas bem mais complexos.

O termo *wicked problem* foi usado pela primeira vez pelo professor e pesquisador alemão Horst Rittel e pelo *designer* norte-americano Melvin Webber para descrever um tipo de problema que não podia ser resolvido com abordagens científicas. Por exemplo, eles descreviam questões de política pública como *wicked*(contraditórias, incompletas e com demandas mutáveis), em contraste com as de ordem científica, que eram consideradas *tame* (domesticadas). Em uma análise conjunta eles escreveram:

> "Problemas relativos a políticas não podem ser descritos de maneira definitiva. Além disso, em uma sociedade pluralista não existe nada como o indiscutível bem público; não há uma definição objetiva para equidade; políticas que respondem a problemas sociais não podem estar significativamente corretas ou incorretas; não faz sentido falar em 'soluções mais adequadas' para problemas sociais, a menos que rígidas qualificações sejam impostas de antemão. Ainda pior, não há 'soluções: no sentido de respostas definitivas e objetivas.'"[2]

Wicked problems ocorrem com mais frequência no contexto social e podem ser influenciados por políticas públicas. Exemplos globais incluem a mudança climática, a sustentabilidade, o tráfico de drogas e regulamentações financeiras. Exemplos locais envolvem problemas como expansão de rodovias, fechamento de escolas e disposição de aterros sanitários. Tais questões deveriam ser resolvidas por políticas públicas, mas o desafio está em encontrar o caminho certo. Inevitavelmente esses problemas envolvem várias partes interessadas, cujas perspectivas são diferentes e cujos interesses são distintos. O fato é que **não há uma solução única** capaz de satisfazer a todos.

Ou seja, enquanto os problemas "domesticados" possuem soluções específicas, o mesmo não se aplica aos "contraditórios." Os primeiros são como **quebra-cabeças**, os últimos, como **jogos**. De acordo com a Suprema Corte da Índia, a diferença entre um e o outro é que no quebra-cabeça o resultado é predeterminado, o que não ocorre nos jogos.[3] Abordagens científicas são capazes de resolver os mais complicados enigmas, porém, para solucionar os "contraditórios", é necessária a **criação de soluções gamificadas emergentes**.

Pelo fato de a maioria das questões contraditórias se encaixar no âmbito das políticas públicas, a própria política se torna a principal barreira para que se consiga ir adiante. O desenvolvimento de políticas públicas poderá incluir a participação de especialistas do governo, grupos de interesse e cidadãos. A política propriamente dita é desenhada por desenvolvedores especialistas dentro do governo. Para criar uma **nova proposta política** essas equipes tentam contrabalançar custos e concessões, apresentando-a com frequência na forma de nova legislação que será votada por representantes eleitos. Os políticos se sentem relutantes em tomar qualquer medida que possa afastar uma grande parte de seu eleitorado e, considerando o fato de que problemas "contraditórios" não possuem uma solução que possa ser vista como única e correta, os políticos hesitam em fazer qualquer tipo de mudança e ficam completamente paralisados – **como cervos diante de faróis acesos**.

Pelo fato de as políticas públicas serem inevitavelmente projetadas por um círculo fechado dentro da equipe de desenvolvimento de políticas do governo, as partes interessadas nem sempre consideram que seus interesses estejam sendo representados de maneira adequada. Esse é o tipo de problema **Torre de Marfim** discutido anteriormente, em que o processo de inovação é centralizado por um grupo de grandes pensadores que, em geral, se mantém desconectado das partes interessadas e, inclusive, do problema a ser resolvido. Neste caso, os *stakeholders* se sentem afastados, uma vez que não desempenham um papel direto no desenvolvimento dessas políticas.

Todavia, há outro caminho possível. Recentemente os governos têm entregue algum poder de decisão às pessoas a quem representam. As mudanças são pequenas, mas já estão começando. Por exemplo:

- Várias comunidades, tais como Harford County, no Estado de Maryland[4] e a cidade de São Francisco, no Estado da Califórnia,[5] estão usando soluções gamificadas para envolver os cidadãos e reunir ideias para projetos de aprimoramentos nessas regiões.
- Algumas comunidades estão implantando o sistema de orçamento participativo para pelo menos uma parte dos recursos totais. Isso significa que a própria comunidade identificará prioridades e que estas serão transformadas em propostas de investimento que serão votadas pelos próprios cidadãos. Esse processo foi adotado primeiramente em Porto Alegre, no Brasil, e, a partir daí, por várias outras municipalidades em todos o mundo.
- A Finlândia implantou a Lei de Iniciativa do Cidadão, que permite que pessoas comuns apresentem propostas de lei ao governo, desde que elas consigam arrecadar o mínimo de 50 mil assinaturas. O Open Ministry (Ministério Aberto) da Finlândia é uma organização sem fins lucrativos que trabalha com grupos de cidadãos no desenvolvimento de leis de iniciativa pública. O Open Ministry utiliza vários processos de desenvolvimento e, recentemente, contou com o processo de *crowdsourcing* na reforma das leis de direitos autorais naquele país.[6]

Há muitas outras iniciativas em democracias participativas, e isso está se movendo na direção correta, embora ainda exista muito a ser feito. Os governos ainda mantêm total controle sobre a participação dos cidadãos.

Os funcionários públicos precisam reconhecer que o governo não pertence a eles. O papel do governo deve ser o de facilitar o desenvolvimento de políticas públicas por cidadãos e *stakeholders*. É aí que a gamificação pode exercer um papel importante ao se voltar para problemas "contraditórios" (*wicked*).

Em vez de contar com equipes do governo para projetar soluções políticas para esse tipo de problema, é preciso desenhar soluções gamificadas que permitam o desenvolvimento de políticas pelos próprios cidadãos. Somente então surgirão soluções colaborativas para problemas "contraditórios" que contem com o apoio dos cidadãos e de todos os interessados, o que, por sua vez, irá assegurar o apoio público de que os políticos precisam para se arriscarem a defender mudanças legislativas.

SEU *SMARTPHONE* SE TRANSFORMARÁ EM UM *COACH* PESSOAL

Atualmente, dúzias de aplicativos gamificados existem para modificar o comportamento das pessoas, mas eles são relativamente pouco sofisticados e, com frequência, representam pouco mais que "lembretes", com alguns pontos e distintivos agregados. Sistemas mais efetivos se integram a redes sociais para reforçar a motivação por meio do **reconhecimento social**. Exemplos incluem aplicativos gamificados para instruir pessoas a perder peso, parar de fumar, melhorar sua condição física, corrigir a postura, administrar finanças pessoais, tomar remédios e aprimorar a memória.

Enquanto o *design* de gamificação continuará se aprimorando de modo constante no sentido de motivar o desenvolvimento pessoal, em 2020, a adoção desse tipo de aplicativo aumentará significativamente, impulsionada pela maturação de tecnologias emergentes, tais como HMDs, realidade aumentada, interfaces em linguagem natural, controle gestual e detecção de emoções. Todas essas tecnologias permitirão que aplicativos de desenvolvimento pessoal gamificados interajam com você, vejam o que está fazendo, saibam como está se sentindo e se ajustem com base nessas condições. Você não terá mais de pegar seu *smartphone* e abrir um aplicativo, pois seu assistente pessoal simplesmente estará lá quando precisar dele. Imagine um Siri superinteligente e sensível.

Controle gestual. Isso permite reconhecimento de gestos livres, permitindo que os usuários controlem dispositivos sem necessariamente tocá-los. Com o controle gestual o computador pode "ver" o que você está fazendo. O dispositivo mais comum e acessível para controle de gestos atualmente é o Microsoft Kinect, que já está sendo usado em algumas soluções gamificadas voltadas para reabilitação e treinamento físico. A tecnologia já está disponível a preços razoáveis e irá avançar em termos de sofisticação ao longo dos próximos anos.

Detecção de emoções. No futuro, seu computador não apenas verá o que você está fazendo, mas saberá como está se sentindo. Atualmente, a detecção de emoções é mais desenvolvida em análises de voz e, de modo geral, usada em *call centers* para detectar clientes irritados. Porém, essa tecnologia já está avançando para incluir análise de expressões faciais e movimentos corporais. Uma vez que os computadores sejam capazes de determinar se você está irritado, estressado ou deprimido, eles rapidamente se adaptarão ao seu estado de espírito.

HDMs. Essa tecnologia já existe há algum tempo e é prioritariamente usada em aplicativos militares. Por exemplo, pilotos possuem um *display* acoplado a seus capacetes que lhes oferece informações que vão além do que eles veem pelo visor (realidade aumentada). O *Google Glass* será o primeiro *display* desse tipo voltado para o consumidor comum. Por volta de 2020, a tecnologia se tornará menos intrusiva, movendo-se para dispositivos do tipo HUD, sigla em inglês de *heads-up display*, que fornecem informações visuais ao piloto/motorista sem que este tenha de desviar os olhos do caminho. Essa ferramenta será integrada a lentes de contato ou funcionarão em conjunto com elas. Em todos os casos, o usuário perceberá a imagem virtual a uma distância de visualização ideal, embora não exista uma tela a frente.

Realidade Aumentada. Essa ferramenta serve de ponte entre os mundos digital e físico. Ela acrescenta informações relevantes ao contexto a cenas do mundo real usando texto e gráficos. Nos aplicativos voltadas para o consumidor, a realidade aumentada é com frequência oferecida em *smartphones*, onde a câmera apresenta cenas em tempo real e a informação é ampliada de outras fontes. Nos dias de hoje, essa tecnologia é mas utilizada em aplicativos especializados, normalmente em conjunto com os HDMs, como no exemplo de uso militar apresentado anteriormente. Conforme essa tecnologia evolui, o mesmo ocorrerá com a realidade aumentada.

Incorporar sugestões de especialistas em sistemas gamificados de *coaching* pessoal juntamente com essas tecnologias irá possibilitar uma experiência mais rica.

Por exemplo, sistemas de desenvolvimento pessoal gamificados como os já disponíveis atualmente são capazes de dizer a você que faça vinte abdominais e então premiá-lo com pontos por completar a tarefa – porque é isso que são programados para fazer. Com a incorporação das tecnologias emergentes e sugestões de *experts*, no futuro um *coach* pessoal gamificado de treinamento conseguirá lhe dizer para fazer os abdominais, avaliar e corrigir sua postura enquanto você se exercita, verificar seu esforço, ajustar o número de abdominais conforme sua forma física e encorajá-lo ao longo de toda a sessão. Essa experiência mais rica de *coaching* será atraente para muitos aplicativos.

Instituições de seguros-saúde, governos e outras organizações que promovem a adoção de estilos de vida mais saudáveis, aprimoram finanças pessoais ou oferecem outras melhorias no modo de vida das pessoas poderão se beneficiar do uso da gamificação para engajar de maneira mais profunda seus públicos-alvo, sem o custo adicional de contratar instrutores de carne e osso. Essas organizações precisam identificar de modo específico qual a mudança comportamental necessária e o público-alvo e então usar a gamificação em aplicativos voltados para essas alterações.

CONCLUSÃO: REPENSANDO A MOTIVAÇÃO EM UM MUNDO CONECTADO

Ninguém supera a raça humana. A única maneira de vencer na vida é estabelecendo seu próprio curso, trabalhando duro para atingir seus objetivos e contribuindo para algo que seja maior que você mesmo. Não vencemos essa corrida individualmente; **todos vencemos juntos.** Indivíduos inspirados são capazes de fazê-lo, a despeito do caminho que tenham escolhido trilhar.

As pessoas não mudaram muito com o passar do tempo. Sempre fomos motivados pelas mesmas coisas. O que mudou muito foi o mundo em que vivemos, e o modo como interagimos com ele. Não estamos mais cercados apenas por nossos familiares, amigos e nossa comunidade. Estamos agora conectados em tempo real com vários grupos de pessoas por meio da tecnologia. Nossas conexões já não são somente físicas, mais **digitais**, o que elimina barreiras de tamanho (escala), tempo e distância.

A gamificação não é algo novo. Mecânicas e *design* de jogos têm sido usados para envolver e motivar pessoas a alcançarem seus objetivos ao longo de toda a história sobre a qual se tem registro. A gamificação gira em torno de repensar a motivação em um mundo no qual estamos conectados com mais frequência de maneira digital que física. Trata-se de criar motivação em um mundo digitalmente engajado. E estamos apenas começando essa jornada. A gamificação continuará a se desenvolver por muitos anos.

Minha expectativa é de que o livro *Gamificar* tenha lhe propiciado uma nova maneira de pensar sobre motivação, e que juntos possamos ajudar pessoas a viverem mais felizes e mais realizadas, motivando-as a alcançar suas metas.

Notas

Introdução
1. Kathleen Lessman, *e-mail* ao autor em 17/1/2013.
2. *About Foursquare* (*Sobre o Foursquare*), Foursquare, data de acesso 18/11/2013, em https://foursquare.com/about.
3. Google Trends, Google, data de acesso 04/12/2013, em www.google.com/trends/explore#q=gamification
4. Nick Pelling, *The (Short) Prehistory of 'Gamification'* (*A [Curta] Pré-história da 'Gamificação'*), blog *Funding Startups (& Other Impossibilities)* (*Patrocinando Empresas Iniciantes [& Outras Impossibilidades]*), data de acesso 18/11/2013, em http://nanodome.wordpress.com/2011/08/09/the-short-prehistory-of-gamification/.
5. *Gamification is named Oxford Dictionaries Word of the Year 2011* (*Gamificação é eleita Palavra do Ano de 2011 pela Oxford Dictionaries*), Oxford University Press via PR Newswire, 22/11/2011, data de acesso 18/11/2013, em www.prnewswire.com/news-releases/squeezed-middle-is-named-oxford-dictionaries-word-of-the-year-2011-134361588.html.
6. Jackie Fenn e Mark Raskino, *Understanding Gartner's Hype Cycles* (*Entendendo os Ciclos de Expectativas da Gartner*), Gartner, 02/07/2013, www.gartner.com/document/code/251964. (Acesso limitado a assinantes.)

Capítulo 1
1. Kruse, Kevin. *Why Employee Engagement? (These 28 Research Studies Prove the Benefits)* [*Por que Engajamento de Funcionários?*

(Essas 28 Pesquisas Provam os Benefícios)], Forbes, 04/09/2012, data de acesso 18/11/2013, em www.forbes.com/sites/kevinkruse/2012/09/04/why-employee-engagement.
2. Blacksmith, Nikki e Harter, Jim. *Majority of American Workers Not Engaged in Their Jobs (Maioria dos Trabalhadores Norte-Americanos Não Está Engajada no Emprego)*, Gallup, 28/10/2011, data de acesso 18/11/2013, em www.gallup.com/poll/150383/Majority-American-Workers-Not-Engaged-Jobs.aspx.
3. *New Research Reveals Why Strong Engagement Scores Can Spell Trouble for Organisations (Nova Pesquisa Revela Por Que Altos Níveis de Engajamento Podem Representar Problema para as Organizações)*, Chartered Institute of Personnel and Development, 23/05/2012, data de acesso 18/11/2013, em www.cipd.co.uk/pressoffice/press-releases/Strong-engagement-scores-can-spell-trouble-for-organisations-230512.aspx.
4. Stinson, dra. Jennifer. Entrevista telefônica com oa autora em 28/6/2013.
5. Thom, Stuart e Eisentraut, Cory. Entrevista telefônica com o autor em 26/6/2013.
6. *Pain Squad Mobile App (App para Celular do Esquadrão da Dor)*, vídeo de Cundari, 2min 35s, data de acesso 18/11/2013, em www.campaignpage.ca/sickkidsapp/.
7. Daniel Pink, *Motivação 3.0: Os Novos Fatores Motivacionais para a Realização Pessoal e Profissional*. (Rio de Janeiro: Campus, 2010) edição para Kindle, Capítulo: Introdução, loc. 183 (da edição em inglês).
8. MasterCard, data de acesso 4/12/2013, em www.mastercard.us/ads-and-offers.html.

Capítulo 2

1. *Amor Sem Escalas*. Filme dirigido por Jason Reitman, 2009, Paramount Pictures.
2. Bogost, Ian. *Gamification Is Bullshit (Gamificação É Baboseira)*. The Atlantic, 9/8/2011, data de acesso 18/11/2013, em www.theatlantic.com/technology/archive/2011/08/gamification-is-bullshit/243338/.
3. Schell, Jesse. *2013 D.I.C.E. Summit (Reunião D.I.C.E. 2013)*, vídeo 4 min 55s, data de acesso 19/11/2013, em www.youtube.com/watch?v=us6OPbYtKBM.

4. Backgrounder, Free The Children, página 2, data de acesso 4/12/2013, www.freethechildren.com/wp-content/uploads/2014/07/FTC-PR-Backgrounder-072014.pdf
5. Kielburger, Craig. Entrevista telefônica com o autor em 31/10/2013.
6. *Weight Watchers Announces Second Quarter 2013 Results and Revises Its Fiscal 2013 Guidance* (*Vigilantes do Peso Anuncia Resultados do Segundo Trimestre de 2013 e Revisa Diretrizes Fiscais para 2013*), Weight Watchers, 1/8/2013, data de acesso 19/11/2013, em: www.weightwatchersinternational.com/phoenix.zhtml?c=130178&p=irol-newsArticle&ID=1843897&highlight=.
7. Hotchkin, Nicholas P. *Weight Watchers International Management Discusses Q2 2013 Results—Earnings Call Transcript* (*Administração Internacional de Vigilantes do Peso Discute Resultados do Segundo Trimestre de 2013 – Transcrição dos Lucros*), *Seeking Alpha*, data de acesso 19/11/2013, em http://seekingalpha.com/article/1597092-weight-watchers-international-management-discusses-q2-2013-results-earnings-call-transcript?page=6.

Capítulo 3

1. Hill Jr., Geoffrey Bachelor. Mensagem via Facebook ao autor em 8/7/2012.
2. *About Nike, Inc.* (*Sobre a Nike Inc.*), Nike, data de acesso 19/11/2013, em http://nikeinc.com/pages/about-nike-inc.
3. Olander, Stefan. *Running Nike's Digital Strategy* (*Administrando a Estratégia Digital da Nike*), Conferência de Negócios *Wired* 2012, vídeo 16 min05s , data de acesso 19/11/2013, http://fora.tv/2012/05/01/WIRED_Business_Conference_Testing_Your_Limits.
4. Laird, Sam. *Nike+ Users Could Power 6,700 Houses Daily* (*Usuários de Nike+ Poderiam Fornecer Energia Elétrica a 6.700 Residências Diariamente*), 23/1/2013, data de acesso 19/11/2013, http://mashable.com/2013/02/22/nike-fuelband-stats.
5. Morris, Rod. Entrevista telefônica com o autor em 30/07/2013.
6. *Company* (*Companhia*), Opower, data de acesso 19/11/2013, em www.opower.com/company.
7. Jacoby, Darren e Reiss, Spencer. *Vail Resorts Creates Epic Experiences with Customer Intelligence* (*Vail Resorts Cria Experiências Épicas com Informações Sobre os Clientes*), SAS Institute, data de acesso 19/11/2013, em www.sas.com/reg/gen/corp/1908549-customer-analytics.

8. Boyd, E. B. *Baked In: Vail Resorts' EpicMix Scores Customer Loyalty by Tracking Slop Skills* (Adendo: O EpicMix da Vail Resorts Registra a Fidelidade dos Clientes Rastreando suas Habilidades na Descida), *Fast Company*, 21/04/2011, data de acesso 19/11/2013, em www.fastcompany.com/1748940/baked-vail-resorts-epicmix-scores-customer-loyalty-tracking-slope-skills
9. Lessman, Kathleen. *E-mail* ao autor em 17/1/2013.
10. Burke, Brian. *Migrating Customers to Online Services Using Gamification* (Migrando Clientes para os Serviços On-line Utilizando a Gamificação), Gartner, 01/03/2013, www.gartner.com/doc/2355215/migrating-customers-online-services-using. (Acesso limitado a assinantes.)
11. Liyakasa, Kelly. *Game On: Gamification Strategies Motivate Customer and Employee Behaviors* (Foi Dada a largada: Estratégias de Gamificação Estimulam o Comportamento de Clientes e Funcionários), *Destination CRM*, maio/2012, data de acesso 04/12/2013, em www.destinationcrm.com/Articles/Editorial/Magazine-Features/Game-On-Gamification-Strategies-Motivate-Customer-and-Employee-Behaviors-81866.aspx.
12. Gerjets, Sven e Bacon, Russell. Entrevista telefônica com o autor em 18/11/2013.
13. Sayeed, Imran e Meraj, Naureen. Entrevista telefônica com o autor em 12/1/2013.
14. Austin, Tom. *Predicts 2013: Social and Collaboration Go Deeper and Wider* (Previsão para 2013: Softwares Sociais e de Colaboração Tornam-se Mais Profundos e Abrangentes), Gartner, 28/11/2012, www.gartner.com/doc/2254316/predicts--social-collaboration-deeper. (Acesso limitado a assinantes.)
15. Kotter, dr. John. *The 8-Step Process for Leading Change* (Processo de 8 Passos Para Liderar a Mudança), Kotter International, data de acesso 19/11/2013, em www.kotterinternational.com/our-principles/changesteps.
16. Burke, Brian. *Motivating Healthy Choices With Gamification* (Estimulando Escolhas Saudáveis com a Gamificação), Gartner, 10/04/2013, em www.gartner.com/doc/2419815/motivating-healthy-choices-gamification. (Acesso limitado a assinantes.)
17. *Daily Challenge* (Mudança Diária), MeYou Health, data de acesso 4/12/2013, em http://meyouhealth.com/daily-challenge.

18. *Friends/Find Friends/Facebook* (*Amigos/Encontrar Amigos/Facebook*), Nike+, data de acesso 19/11/2013, em https://secure-nikeplus.nike.com/plus/friends/UserName/#facebook.

Capítulo 4

1. Tanis, carta a Salman Khan, Khan Academy, 15/12/2012, data de acesso 19/11/2013, em www.khanacademy.org/stories/tanis-december-15-2012.
2. *Fact Sheet* (*Folha de Dados*), Khan Academy, 1/11/2013, data de acesso 19/11/2013, https://dl.dropboxusercontent.com/u/33330500/KAFactSheet.zip.
3. *About Badging* (*Sobre a Utilização de Distintivos*), Center for Educational Technologies, data de acesso 19/11/2013, em http://badges.cet.edu/about.html.
4. *NASA Lunar Rover Geometry Badge* (*Distintivo NASA de Geometria do Andarilho Lunar*), Center for Educational Technologies, data de acesso 19/11/2013, em http://badges.cet.edu/LunarRover.
5. *Privacy & Security Training Games* (*Jogos de Treinamento em Privacidade e Segurança*), Health IT, data de acesso 19/11/2013, em www.healthit.gov/providers-professionals/privacy-security-training-games.
6. *About* (*Quem Somos*), Duolingo, data de acesso 19/11/2013, em www.duolingo.com/info.
7. Wall Street Survivor, www.wallstreetsurvivor.com.
8. Sayeed, Imran e Meraj, Naureen. NTT Data, entrevista telefônica com o autor em 17/10/2013.
9. *Consumers Don't Understand Health Insurance, Carnegie Mellon Research Shows* (*Pesquisa da Carnegie Mellon Mostra que Consumidores Não Entendem o Seguro Saúde*), Carnegie Mellon University, 1/8/2013, data de acesso 19/11/2013, em www.cmu.edu/news/stories/archives/2013/august/aug1_understandinghealthinsurance.html.
10. *Health Insurance Marketplaces* (*Mercados de Seguro Saúde*), Capital Blue Cross, data de acesso 19/11/2013, em https://capbluecross.healthcareu.com/en.
11. Nicholas, Clayton. Entrevista telefônica com o autor em 30/10/2013.
12. *Case Study: Autodesk* (*Estudo de Caso: Autodesk*), Badgeville, data de acesso 19/11/2013, em http://badgeville.com/customer/case-study/autodesk.

Capítulo 5

1. Burke, Brian. *Case Study: Innovation Squared: The Department for Work and Pensions Turns Innovation Into a Game* (Estudo de Caso: Inovação ao Quadrado: Departamento do Trabalho e Pensões Transforma Inovação em Jogo), Gartner, 23/11/2010. (Acesso limitado a assinantes.)
2. Mcgugan, Duncan. *E-mail* ao autor em 9/1/2013.
3. *About* (Quem Somos), Quirky, data de acesso 16/11/2013, em www.quirky.com/about.
4. Wilmore, Paul. Entrevista com o autor em 30/10/2013.

Capítulo 6

1. *About IDEO* (Sobre a IDEO), IDEO, data de acesso 19/11/2013, em www.ideo.com/about.

Capítulo 8

1. Mohanty, Natasha. *Shareable Google News Badges for Your Favorite Topics* (Ícones Compartilháveis do Google News para Seus Tópicos Favoritos), *Google News Blog*, 14/7/2011, data de acesso 19/11/2013, em http://googlenewsblog.blogspot.com.es/2011/07/shareable-google-news-badges-for-your.html.
2. Matias, Yossi. *More Spring Cleaning* (Mais Limpeza Pesada), *Google Official Blog*, 28/9/2012, data de acesso 19/11/2013, em http://googleblog.blogspot.com.es/2012/09/more-spring-cleaning.html.
3. *Welcome to the DARPA Robotics Challenge Website* (Bem-vindo ao Site do Desafio DARPA de Robótica), DARPA, data de acesso 19/11/2013, em www.theroboticschallenge.org.
4. Csíkszentmihályi, Mihály. *A Psicologia da Felicidade* (São Paulo: Saraiva, 1992).
5. Mollick, Ethan e Rothbard, Nancy. *Mandatory Fun: Consent, Gamification and the Impact of Games at Work* (Diversão Obrigatória: Consentimento, Gamificação e o Impacto dos Jogos no Trabalho) (Departamento de Administração, The Wharton School, Universidade da Pensilvânia, 5/6/2013), 32, em http://papers.ssrn.com/sol3/papers.cfm?abstract_id=2277103.
6. KoolAidGuy. *Why Digg's Non-Hierarchical Editorial Control Does Not Work and How to Exploit It* (Por que o Controle Editorial Não

Hierárquico do Digg's Não Funciona e Como Explorá-lo), 13/12/2005, data de acesso 19/11/2013, em http://koolaidguy.blogspot.com.es/.
7. MacManus, Richard. *Gaming Digg: The KoolAidGuy Saga (Jogando com o Digg: A Saga de KoolAidGuy)*, ZDNet, 27/12/2005, data de acesso 19/11/2013, em www.zdnet.com/blog/web2explorer/gaming-digg-the-koolaidguy-saga/90.

Capítulo 9
1. *Campo dos Sonhos*, dirigido por Phil Alden Robinson, 1989, Universal Studios Entertainment.

Capítulo 10
1. Anderson, Janna Quitney e Rainie, Lee. *Gamification: Experts Expect 'Game Layers' to Expand in the Future, with Positive and Negative Results (Gamificação: Experts Esperam Expansão dos 'Game Layers' no Futuro)*, Pew Research Center, 18/05/2012, data de acesso 19/11/2013, em http://pewinternet.org/Reports/2012/Future-of-Gamification.aspx.
2. Rittel, Horst W. J. e Webber, Melvin M. Com permissão de Springer Science+Business Media: Policy Sciences, *Dilemmas in a general theory of planning (Dilemas em uma teoria geral de planejamento)*, vol. 4, ed. 2, junho/1973, página 155.
3. Kapadia, S. H. *M/S Pleasantime Products Etc. vs Commr. of Central Excise (M/S Pleasantime Products ETC. versus Comissão Geral de Impostos Especiais, Suprema Corte da Índia)*, 12/11/2009, data de acesso 19/11/2013, www.indiankanoon.org/doc/620872/.
4. *Harford County Leverages Spigit to Capture Cost-Saving Ideas (Harford County Estimula Spigit a Capturar Ideias de Economia de Custos)*, Spigit, data de acesso 19/11/2013, em www.spigit.com/media-center/case-studies/#prettyPhoto.
5. City of San Francisco, Cost Savings and Revenue Generation (Cidade de São Francisco, Economia de Custos e a Geração de Receita), Brightidea, data de acesso 19/11/2013, em www.brightidea.com/customers-government.bix.
6. What Are the Finns Up To? (Que Será que os Finlandeses Vão Fazer?), *Reimagining Democracy*, 21/8/2013, data de acesso 13/11/2013, em http://democracyoneday.com/2013/08/21/what-are-the-finns-up-to/.

Referências Bibliográficas

Alden Robinson, Phil. *Campo dos Sonhos*. Filme. Universal Studios Entertainment, 1989.

Austin, Tom. *Predicts 2013: Social and Collaboration Go Deeper and Wider (Previsão para 2013: Softwares Sociais e de Colaboração Tornam-se Mais Profundos e Abrangentes)*, Gartner. 28/11/2012. www.gartner.com/document/2254316. (Acesso limitado a assinantes.)

Bachelor Hill Jr., Geoffrey. Mensagem via Facebook ao autor em 8/7/2012.

Badgeville. *Case Study: Autodesk (Estudo de Caso: Autodesk)*. Data de acesso 19/11/2013 em http://badgeville.com/customer/case-study/autodesk.

Blacksmith, Nikki e Harter, Jim. *Majority of American Workers Not Engaged in Their Jobs (Maioria dos Trabalhadores Norte-Americanos Não Está Engajada no Emprego)*, Gallup, 28/10/2011. Data de acesso 18/11/2013 em www.gallup.com/poll/150383/Majority-American-Workers-Not-Engaged-Jobs.aspx.

Bogost, Ian. *Gamification Is Bullshit (Gamificação É Besteira)*, The Atlantic, 9/8/2011. Data de acesso 18/11/2013, em www.theatlantic.com/technology/archive/2011/08/gamification-is-bullshit/243338/.

Boyd, E. B. *Baked In: Vail Resorts' EpicMix Scores Customer Loyalty by Tracking Slop Skills (Adendo: O EpicMix da Vail Resorts Registra a Fidelidade dos Clientes Rastreando suas Habilidades na Descida)*, Fast Company, 21/04/2011. Data de acesso 19/11/2013 em www.fastcompany.com/1748940/baked-vail-resorts-epicmix-scores-customer-loyalty-tracking-slope-skills.

Brightidea. *City of San Francisco, Cost Savings and Revenue Generation (Cidade de São Francisco, Economia de Custos e a Geração de Receita)*.

Data de acesso 19/11/2013 em www.brightidea.com/customers-government. bix.

Burke, Brian. *Case Study: Innovation Squared: The Department for Work and Pensions Turns Innovation Into a Game* (Estudo de Caso: Inovação ao Quadrado: Departamento do Trabalho e Pensões Transforma Inovação em Jogo), Gartner. 23/11/2010. (Acesso limitado a assinantes.)

Burke, Brian. *Migrating Customers to On-line Services Using Gamification* (Migrando Clientes para os Serviços On-line Utilizando a Gamificação), Gartner, 1/3/2013. (Acesso limitado a assinantes.)

Burke, Brian. *Motivating Healthy Choices With Gamification* (Estimulando Escolhas Saudáveis com a Gamificação), Gartner. 10/4/2013. (Acesso limitado a assinantes.)

Capital Blue Cross. *Health Insurance Marketplaces* (Mercados de Seguro Saúde). Data de acesso 19/11/2013, em https://capbluecross.healthcareu.com/en.

Carnegie Mellon University. *Consumers Don't Understand Health Insurance, Carnegie Mellon Research Shows* (Pesquisa da Carnegie Mellon Mostra que Consumidores Não Entendem o Seguro Saúde), 1/8/2013. Data de acesso 19/11/2013, em www.cmu.edu/news/stories/archives/2013/august/aug1_understandinghealthinsurance.html.

Center for Educational Technologies. *About Badging* (Sobre a Utilização de Distintivos). Data de acesso 19/11/2013, em http://badges.cet.edu/about.html.

Center for Educational Technologies. *NASA Lunar Rover Geometry Badge* (Distintivo NASA de Geometria do Andarilho Lunar). Data de acesso 19/11/2013, em http://badges.cet.edu/LunarRover/.

Chartered Institute of Personnel and Development. *New Research Reveals Why Strong Engagement Scores Can Spell Trouble for Organisations* (Nova Pesquisa Revela Por Que Altos Níveis de Engajamento Podem Representar Problema para as Organizações), 23/5/2012. Data de acesso 18/11/2013 em www.cipd.co.uk/pressoffice/press-releases/Strong-engagement-scores-can-spell-trouble-for-organisations-230512.aspx.

Csíkszentmihályi, Mihály. *A Psicologia da Felicidade* (São Paulo: Saraiva, 1992).

Cundari. *Pain Squad Mobile App* (*App para Celular do Esquadrão da Dor*), vídeo de Cundari, 2'35 , data de acesso 18/11/2013, em www.campaignpage.ca/sickkidsapp/.

DARPA. *Welcome to the DARPA Robotics Challenge Website* (*Bem-vindo ao Site do Desafio DARPA de Robótica*). Data de acesso 19/11/2013 em www.theroboticschallenge.org.

Duolingo. *About* (*Quem Somos*). Data de acesso 19/11/2013, em www.duolingo.com/info.

Fenn, Jackie e Mark Raskino, *Understanding Gartner's Hype Cycles* (*Entendendo os Ciclo de Expectativas da Gartner*), Gartner, 2/7/2013, em www.gartner.com/document/code/251964. (Acesso limitado a assinantes.).

Foursquare. *About Foursquare* (*Sobre a Foursquare*), data de acesso 18/11/2013, https://foursquare.com/about.

Free the Children. Folheto. Data de acesso 4/12/2013, em www.freethechildren.com/wp-content/uploads/2014/07/FTC-PR-Backgrounder-072014.pdf

Gerjets, Sven and Russell Bacon. Entrevista telefônica com o autor em 18/11/2013.

Google. Google Trends (*Tendências do Google*). Data de acesso 4/12/2013, em www.google.com/trends/explore#q=gamification.

Health IT. *Privacy & Security Training Games* (*Jogos de Treinamento em Privacidade e Segurança*). Data de acesso 19/11/2013, em www.healthit.gov/providers-professionals/privacy-security-training-games.

Hotchkin, Nicholas P. *Weight Watchers International Management Discusses Q2 2013 Results—Earnings Call Transcript* (*Vigilantes do Peso Anuncia Resultados do Segundo Trimestre de 2013 e Revisa Diretrizes Fiscais para 2013*), Seeking Alpha. Data de acesso 19/11/2013, em http://seekingalpha.com/article/1597092-weight-watchers-international-management-discusses-q2-2013-results-earnings-call-transcript?page=6.

IDEO. *About IDEO* (*Sobre a IDEO*). Data de acesso 19/11/2013, em www.ideo.com/about.

Jacoby, Darren e Spencer Reiss. *Vail Resorts Creates Experiences with Customer Intelligence* (*Vail Resorts Cria Experiências Épicas com Informações Sobre os Clientes*). SAS Institute. Data de acesso 19/11/2013, em www.sas.com/reg/gen/corp/1908549-customer-analytics.

Referências Bibliográficas

Kapadia, S H. *M/S Pleasantime Products Etc. vs Commr. of Central Excise (M/S Pleasantime Products ETC. versus Comissão Geral de Impostos Especiais, Suprema Corte da Índia)*, Suprema Corte da Índia, 12/11/2009. Data de acesso 19/11/2013, em www.indiankanoon.org/doc/620872.

Khan Academy. *Fact Sheet (Folha de Dados)*, 1/11/2013. Data de acesso 19/11/2013, em https://dl.dropboxusercontent.com/u/33330500/KAFactSheet.zip.

Kielburger, Craig. Entrevista telefônica com o autor em 31/10/2013.

KoolAidGuy. *Why Digg's Non-Hierarchical Editorial Control Does Not Work and How to Exploit It (Por que o Controle Editorial Não Hierárquico do Digg's Não Funciona e Como Explorá-lo)*, 13/12/2005. Data de acesso 19/11/2013, em http://koolaidguy.blogspot.com.es/.

Kotter, dr. John. *The 8-Step Process for Leading Change (Processo de 8 Passos Para Liderar a Mudança)*, Kotter International. Data de acesso 19/11/2013, em www.kotterinternational.com/our-principles/changesteps.

Kruse, Kevin. *Why Employee Engagement? (These 28 Research Studies Prove the Benefits)* [*Por que Engajamento de Funcionários? (Essas 28 Pesquisas Provam os Benefícios)*], Forbes, 4/9/2012. Data de acesso 18/11/2013, em www.forbes.com/sites/kevinkruse/2012/09/04/why-employee-engagement.

Laird, Sam. *Nike+ Users Could Power 6,700 Houses Daily (Usuários de Nike+ Poderiam Fornecer Energia Elétrica a 6.700 Residências Diariamente)*, Mashable. 23/02/2013. Data de acesso 19/11/2013, em http://mashable.com/2013/02/22/nike-fuelband-stats/.

Lessman, Kathleen. *E-mail* ao autor em 17/01/2013.

Liyakasa, Kelly. *Game On: Gamification Strategies Motivate Customer and Employee Behaviors (Foi Dada a largada: Estratégias de Gamificação Estimulam o Comportamento de Clientes e Funcionários)*, Destination CRM, maio/2012. Data de acesso 04/12/2013, em www.destinationcrm.com/Articles/Editorial/Magazine-Features/Game-On-Gamification-Strategies-Motivate-Customer-and-Employee-Behaviors-81866.aspx

MacManus, Richard. *Gaming Digg: The KoolAidGuy Saga (Jogando com o Digg: A Saga de KoolAidGuy)*, ZDNet, 27/12/2005. Data de acesso 19/11/2013, em www.zdnet.com/blog/web2explorer/gaming-digg-the-koolaidguy-saga/90.

MasterCard. Data de acesso 4/12/2013, em www.mastercard.us/ads-and-offers.html

Matias, Yossi. More Spring Cleaning (*Mais Limpeza Pesada*), *Google Official Blog*, 28/9/2012. Data de acesso 19/11/2013, em http://googleblog.blogspot.com.es/2012/09/more-spring-cleaning.html.

Mcgugan, Duncan. E-mail ao autor em 9/1/2013.

MeYouHealth. *Daily Challenge* (*Desafio Diário*). Data de acesso 4/12/2013, em http://meyouhealth.com/daily-challenge/

Mohanty, Natasha. *Shareable Google News Badges for Your Favorite Topics* (*Ícones Compartilháveis do Google News para Seus Tópicos Favoritos*), *Google News Blog*, 14/7/2011. Data de acesso 19/11/2013, em http://googlenewsblog.blogspot.com.es/2011/07/shareable-google-news-badges-for-your.html.

Mollick, Ethan e Rothbard, Nancy. *Mandatory Fun: Gamification and the Impact of Games at Work* (*Diversão Obrigatória: Consentimento, Gamificação e o Impacto dos Jogos no Trabalho*), Departamento de Administração, The Wharton School, Universidade da Pensilvânia 5/6/2013, em http://papers.ssrn.com/sol3/papers.cfm?abstract_id=2277103.

Morris, Rod. Entrevista telefônica com o autor em 30/7/2013.

Nicholas, Clayton. Entrevista telefônica com o autor em 30/10/2013.

Nike. *About Nike, Inc.* (*Sobre a Nike Inc.*). Data de acesso 19/11/2013, em http://nikeinc.com/pages/about-nike-inc.

Nike+. *Friends/Find Friends/Facebook* (*Amigos/Encontrar Amigos/Facebook*). Data de acesso 19/11/2013, em https://secure-nikeplus.nike.com/plus/friends/UserName/#facebook.

Olander, Stefan. *Running Nike's Digital Strategy* (*Administrando a Estratégia Digital da Nike*), Conferência de Negócios *Wired* 2012, vídeo 16 min 5s. Data de acesso 19/11/2013, em http://fora.tv/2012/05/01/WIRED_Business_Conference_Testing_Your_Limits.

Olding, Elise. *Gartner's Top Predictions for IT Organizations and Users, 2013 and Beyond: Balancing Economics, Risk, Opportunity and Innovation* (*Melhores Previsões Gartner 2013 e além para Empresas de TI e Usuários: Equilibrando Economia, Risco, Oportunidade e Inovação*), Gartner, 19/10/2012. (Acesso limitado a assinantes.)

Opower. *Company* (*Companhia*). Data de acesso 19/11/2013, em www.opower.com/company.

Referências Bibliográficas

Oxford University Press via PR Newswire. *SQUEEZED MIDDLE is named Oxford Dictionaries Word of the Year 2011 (SQUEEZED MIDDLE é eleita palavra do ano de 2011 pelo Oxford Dicionário)*, 22/11/2011. Data de acesso 18/11/2013, em www.prnewswire.com/news-releases-test/squeezed-middle-is-named-oxford-dictionaries-word-of-the-year-2011-134361588.html.

Pelling, Nick. *The (Short) Prehistory of 'Gamification' [A (Curta) Pré-história da 'Gamificação'], Funding Startups (& Other Impossibilities) (Patrocinando Empresas Iniciantes [& Outras Impossibilidades])*. Data de acesso 18/11/2013, http://nanodome.wordpress.com/2011/08/09/the-short-prehistory-of-gamification/.

Pink, Daniel. *Drive: The Surprising Truth About What Motivates Us*. Nova York: Riverhead Books, 2009, Kindle edition.

Quirky. *About (Sobre Nós)*. Data de acesso 16/11/2013, em www.quirky.com/about.

Quitney Anderson, Janna e Rainie, Lee. *Gamification: Experts Expect 'Game Layers' to Expand in the Future, with Positive and Negative Results (Gamificação: Experts Esperam Expansão dos 'Game Layers' no Futuro)*, Pew Research Center, 18/5/2012. Data de acesso 19/11/2013, em http://pewinternet.org/Reports/2012/Future-of-Gamification.aspx.

Re: Imagining Democracy. *What Are the Finns Up To? (Que Será que os Finlandeses Vão Fazer?)*, 21/8/2013. Data de acesso 13/11/2013, em http://democracyoneday.com/2013/08/21/what-are-the-finns-up-to/.

Reitman, Jason. *Amor Sem Escalas*. Paramount Pictures, 2009.

Rittel, Horst W. J. e Webber, Melvin M. *Dilemmas in a General Theory of Planning (Dilemas na Teoria Geral do Planejamento)*. Elsevier Scientific Publishing Company, 1973. Em www.uctc.net/mwebber/Rittel+Webber+Dilemmas+General_Theory_of_Planning.pdf.

Sayeed, Imran e Meraj, Naureen. NTT Data. Entrevista telefônica com o autor em 17/10/2013.

Sayeed, Imran e Meraj, Naureen. NTT Data. Entrevista telefônica com o autor em 12/1/2013.

Schell, Jesse. *2013 D.I.C.E. Summit (Reunião D.I.C.E. 2013)*, vídeo 4min 55s, data de acesso 19/11/2013, em www.youtube.com/watch?v=us6OPbYtKBM.

Spigit. *Harford County Leverages Spigit to Capture Cost-Saving Ideas (Harford County Estimula Spigit a Capturar Ideias de Economia de Custos*. Data de acesso 19/11/2013, em www.spigit.com/media-center/case-studies/#prettyPhoto.

Stinson, Dr. Jennifer. Entrevista telefônica com o autor em 28/6/2013.

Tanis. Carta a Salman Khan. Khan Academy, 15/12/2012. Data de acesso 19/11/2013, em www.khanacademy.org/stories/tanis-december-15-2012.

Thom, Stuart e Eisentraut, Cory. Entrevista telefônica com o autor em 26/06/2013.

Wall Street Survivor, www.wallstreetsurvivor.com.

Weight Watchers. *Weight Watchers Announces Second Quarter 2013 Results and Revises Its Fiscal 2013 Guidance (Vigilantes do Peso Anuncia Resultados do Segundo Trimestre de 2013 e Revisa Diretrizes Fiscais para 2013)*, 1/8/2013. Data de acesso 19/11/2013, em www.weightwatchersinternational.com/phoenix.zhtml?c=130178&p=irol-newsArticle&ID=1843897&highlight=.

Wilmore, Paul. Entrevista com o autor em 30/10/2013.

SOBRE O AUTOR

Brian Burke é vice-presidente da Gartner e, nos últimos 15 anos, tem atuado na área de arquitetura empresarial. Desde 2010, ele vem conduzido pesquisas sobre a tendência emergente da gamificação. Como especialista em arquitetura corporativa, por décadas se dedicou à compreensão de tendências tecnológicas que poderiam representar problemas para as empresas, assim como de suas implicações para o negócio. Ele atualmente lidera pesquisas na área de arquitetura empresarial e dirigidas para a obtenção de resultados. Seu trabalho inovador no desenvolvimento de arquiteturas interligadas tem sido implementado em centenas de organizações, tanto nos setores público quanto privado. Ele também é um proeminente pesquisador e palestrante nas áreas de gamificação, arquitetura corporativa, gestão da inovação e estratégia de TI. Já foi entrevistado e teve seus artigos publicados por importantes jornais e revistas, como *Wall Street Journal, BBC News. USA Today, Financial Times, The Guardian* e *Forbes Online*.

O senhor Burke tem ampla e diversificada vivência nas áreas de tecnologia e estratégia, com mais de 25 anos de experiência no setor. Ele se juntou à empresa Gartner em 2005, com a aquisição do Meta Group, onde já havia trabalhado por sete anos. Antes disso, ocupou posições de nível gerencial sênior, tendo como principais responsabilidades o desenvolvimento de estratégias de TI e da própria arquitetura empresarial. Ele já liderou vários projetos voltados para a aplicação de tecnologias emergentes.

**DVS
EDITORA**

www.dvseditora.com.br